à Hannah,
talented artist
and
wonderful human
being !
Merci for the pic !
Much appreciated !
Amicalement,
SAËR

Nous, femmes affranchies

Saer Maty Ba

Nous, femmes affranchies

Nouvelles

LE LYS BLEU
ÉDITIONS

ISBN : 979-10-377-7417-0

À chaque Femme, à toutes les Femmes…

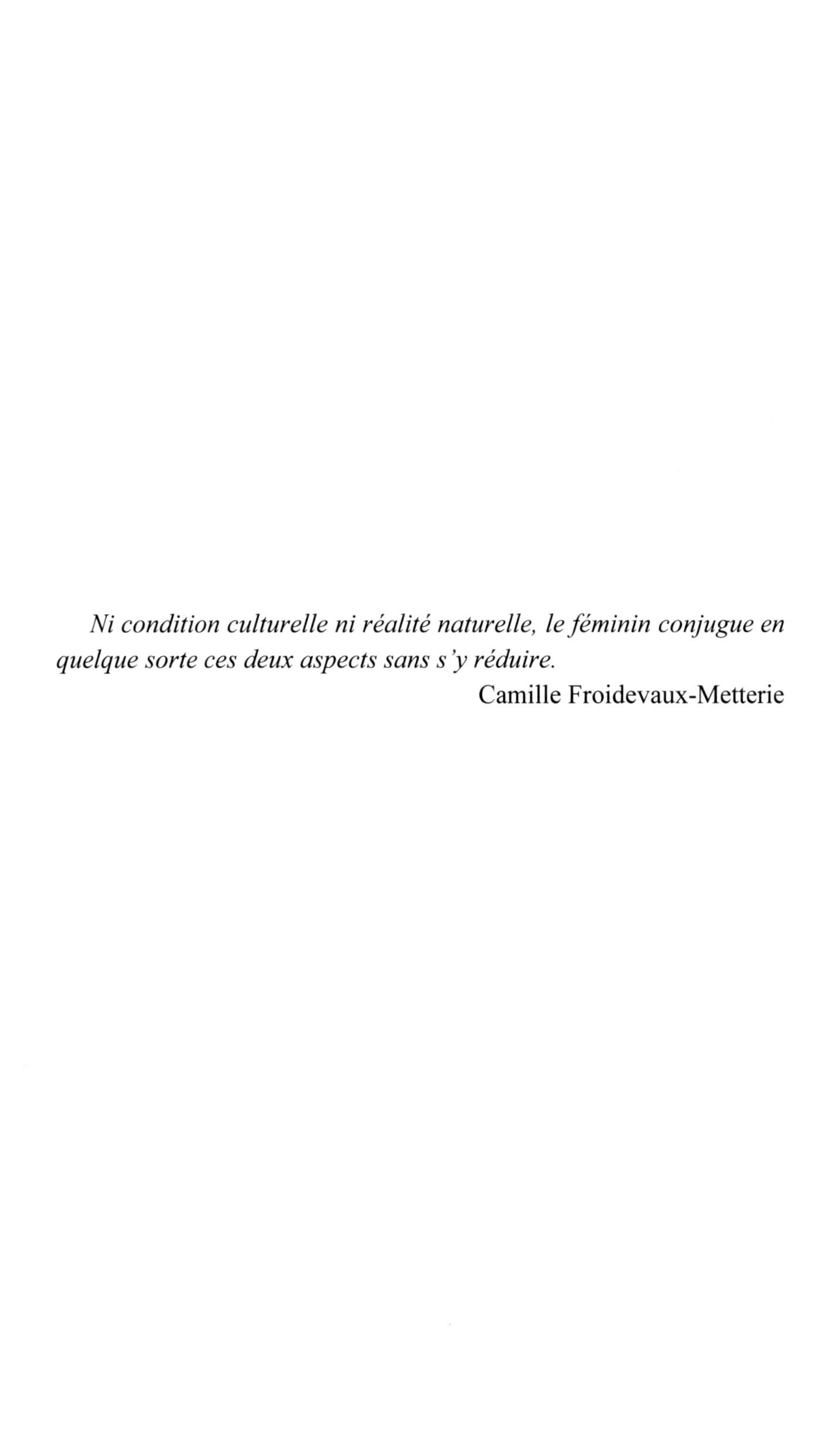

Ni condition culturelle ni réalité naturelle, le féminin conjugue en quelque sorte ces deux aspects sans s'y réduire.

Camille Froidevaux-Metterie

En chaque femme, il y a (…) celles que nous avons été ou que nous aurions pu être, celles que nous pensons pouvoir devenir un jour, celles que nous ne serons jamais.

Thierry Cohen

Il faut que tout le monde l'entende dans toutes les langues : le corps d'une femme n'est pas un objet !

Olimpia Coral Melo

Prélude opaque

Lorsque des mains et des bouches se trouvent prises au piège de mots, de paroles exigeant d'être écrites et dites, impérativement, l'intellect(uel.le) doit se remettre à sa place, tel un accordéon à la recherche d'un souffle d'air nouveau, vital, pour qu'émergent, quand bien même à contrecœur, du feeling, des sensations, des affects, des teintes et tons, et couleurs qui incarnent, à la fois, début, milieu et aboutissement, trois chutes d'une Niagara-combinaison-de-lettres bruinant violemment un air rafraîchissant. Pour qu'écriture et paroles puissent élu(ci)der frictions et vomissures d'une machine, ridée par les sillons millénaires d'un violent non-sens émanant de (certains) chromosomes XX.

S'ensuit-il une délivrance pour autant, enfin, est-ce le moment, chèr.es concerné.es, où votre propre régime se verra établi ? Est-ce le moment où vous régnerez en maître.sse ? Est-ce le moment où votre temps s'arrachera d'une fixité, machinale et imposée, afin que vous vous projetiez au-delà de vos espérances ? En tout cas…

Georgette

« Systèmes anticollision allumés *(voyants rouges)*. Batterie mise en route ; un Pump Fuel du réservoir gauche activé pour amener du kérosène vers l'APU (Auxiliary Power Unit). APU mis en route *(pour donner de l'air et de l'électricité aux passagers et, surtout, pour pouvoir démarrer les moteurs)*. Allumage des moteurs, en activant cinq Pump Fuels, à savoir, le deuxième du réservoir gauche, les deux du réservoir central et les deux du réservoir droit, puis en injectant de l'air venant de l'APU, ainsi que des étincelles, dans un moteur (une fois tous les moteurs allumés, air et étincelles seront éteints). Mise en route des deux moteurs : reprise d'air de l'APU et focus sur Engine Start, puis injection de kérosène *(ouverture du robinet de kérosène)*, etc. APU libéré. Générateurs et air des moteurs prennent le relais pour dégivrer l'appareil. Système d'air Pack (L et R) activé pour pressuriser l'avion et fournir de l'air dans la cabine. Yaw Dumper, système d'aide au pilotage, allumé. Idem pour : le système d'électricité destiné à la cabine, la lumière "attachez vos ceintures", le dégivrage des pare-brises, les prises des vitesses, et les HYD PUMPS (systèmes hydrauliques) qui permettent de piloter l'avion. Regard sur les routes à suivre, qui sont ensuite entrées dans l'ordinateur de bord pour faire des choix qui, ensuite, vont apparaître sur la Navigation Display. Y a-t-il suffisamment de kérosène ? Check. Réservoir de kérosène ouvert ? Check. Pompes sur "ON" ? Check. Volets sortis pour décoller ? Check. Aérofreins bien enclenchés ? Check. Alors, prêt pour le protocole de décollage *(sourire)* ? »

Un temps. Assez court. *Take off* :

« C'est la bonne piste, je nous mets dans l'axe, et allez ! Thrust 7 ... Équinoxe ? Check... Rotate... Positive climb... Rentrée des trains d'atterrissage. L Nav mode ? Check... THR REF/VNAV SPEED ? Check... 700 pieds... Et je vire à droite (l'avion est au-dessus de la capitale nipponne)... Heading, 160°... *(Échanges avec la tour de contrôle)*... Montée à 2000 pieds. » *(Un temps. Assez long.)*

La commandante de bord se frotte les yeux ; elle bougeotte dans son siège, s'y met plus à l'aise avant d'échanger quelques plaisanteries avec ses deux collègues anglophones de l'équipage technique PNT (Pilotage, Navigation et Télécommunications) ; ils ont des centaines d'heures de vol ensemble. Elle leur demande de redoubler de vigilance, malgré le pilotage automatique, parce qu'elle va enregistrer un autre condensé de ses Mémoires, projet qu'elle compte coucher sur papier et publier peu de temps avant sa retraite *(qui est encore loin)*. Ils se moquent d'elle, en hochant la tête et en lui disant qu'ils garderont leurs casques durant toute sa nouvelle tirade ; elle en ricane, leur tire la langue et sort de sa poche droite de pantalon un petit dictaphone numérique. *(Un temps. Court.)*

Voler, je sais très bien le faire. Avec plus de quatre mille heures à mon actif, c'est devenu un jeu d'enfant. Et pourtant, je viens de très loin. Pour tout vous dire, j'émerge d'une manifestation lointaine, l'une de ces nombreuses manifs de l'an 196_ qui fit se rencontrer mes parents. C'était un rassemblement en soutien aux *Black Panthers*, plus particulièrement à George Jackson qui en devint membre une fois incarcéré. Révolutionnaire, intellectuel, pédagogue, antiraciste et à l'origine de groupes carcéraux américains d'études anticoloniales et marxistes-léninistes, Jackson fut également un membre fondateur de la *Black Guerilla Family*. Il fit deux séjours à la prison de San Quentin, tout comme à celle de Soledad, lieu de son assassinat, dans la cour même de la prison, tué d'une balle dans le dos, du haut d'un mirador, par un gardien de prison et ex-tireur d'élite blanc, le 21 août 1971. Exécution paradoxale, pourrait-on arguer, vu que, quels que fussent le radicalisme et l'influence de Jackson en prison, onze ans plus tôt, âgé tout juste de 19 ans, il avait été condamné à rester incarcéré pour une durée indéterminée. Pire qu'une condamnation à perpétuité. Et pour quelle raison ? On l'avait accusé d'avoir volé 70 $. Bref, mes parents idolâtraient Jackson ; ils avaient leurs citations favorites de lui qu'ils pouvaient débiter à longueur de journée, à qui voulait les entendre. Aujourd'hui, je ne me rappelle que le petit bout qu'ils m'inculquaient à tout bout de champ *(et que j'étais trop involontairement distraite pour bien assimiler et tourner à mon avantage)* : « Quand il s'agit de dignité et de liberté, je n'use ni ne prescris de demi-mesures. »

Mon père, jeune reporter indépendant et autoproclamé d'origine sénégalo-malienne, était de teint si clair qu'il aurait pu être confondu avec Jackson. Il arborait aussi l'incontournable coiffure afro. Et en plus du Soledad Brother, j'ai nommé Jackson, mon père en savait un paquet sur Bobby Seale, Huey P. Newton, le très jeune Bobby Hutton et Eldridge Cleaver. Il avait apparemment été jusqu'en Algérie, pour interviewer Cleaver dont les propos parurent dans le journal *l'Activiste non aligné* et révélèrent le nom de Benjamin Touré au grand public. Maman quant à elle était une vraie métisse, je veux dire, d'un métissage récent et traçable à partir de ses deux parents. Métissage inhabituel toutefois, vu qu'elle m'a dit n'avoir pas souvenir, dans son entourage, d'enfants dont le père était blanc, comme le sien, et la mère Béninoise (elle s'appelait Marie Gbodjé), noire, chrétienne et pieuse, comme la sienne, même si la piété de ma mémé n'allait pas survivre sa venue en Europe pour études supérieures. J'irais jusqu'à ajouter que le faux-vieux continent lui arracha aussi sa foi, parce qu'aucune croyante n'aurait pu se mettre en couple avec mon grand-père, Vercingétorix Faure, un athée et sceptique invétéré, pour dire les choses avec euphémisme, deux traits que j'ai retrouvés chez mon propre père qui, apparemment, au sein de sa propre famille africaine, avait été progressivement déçu de voir et vivre un imbroglio faussement laïque le faisant yoyotter entre l'école privée catholique et celle coranique, entre la mosquée et l'église, en passant par les bars et les boîtes de nuit… Jusqu'à ce qu'il découvrît Karl Marx, V. I. Lenin, les marxistes C. L. R. James (Trinité-et-Tobago) et Walter A. Rodney (Guyana), mais aussi, bien sûr, jusqu'à sa rencontre idéologique avec George Jackson et l'aile africaine-américaine de ce qu'il appelait la Révolution noire mondiale. Maman arborait également une coiffure afro, aussi fièrement que son Ben Touré, en hommage aux *Black Panthers* Katherine Cleaver et Angela Davis, cette dernière n'étant nulle autre que l'ardente meneuse de la campagne pour la libération de Jackson et des autres Frères de Soledad. D'ailleurs, avant sa rencontre avec mon père, maman avait été si ardemment militante de la cause noire qu'aujourd'hui l'on pourrait imputer à un pur hasard ma venue au monde.

En effet, les rassemblements tels que la manif en soutien à Jackson peuvent causer beaucoup de confusion, notamment, à cette occasion-là, par le truchement de nombreux instants de poursuites par les policiers, rythmées de lancées de grenades lacrymogènes qui firent ma mère battre en retraite avec divers groupes d'une trentaine de manifestants. Durant l'une de ces pourchasses, maman perdit de vue son petit copain du moment avec lequel elle était venue manifester en brandissant deux pancartes : « DIGNITÉ & LIBERTÉ = PAS DE DEMI-MESURES ! » et « LIBÉREZ LES FRÈRES DE SOLEDAD ! ». Cinq minutes plus tard, toussant encore, yeux larmoyants et piquants, elle aperçut de loin le dos large de son petit copain qui faisait face au monument de la Liberté où perchait un intervenant démesurément moustachu, flanqué de gros bras noirs et qui vociférait contre le racisme et les violences policières. Le petit copain lui-même semblait la chercher du regard sans trop de conviction, en scannant un demi-cercle d'espace, de gauche à droite et vice versa : c'est alors que, excitée à l'idée d'avoir retrouvé son homme dans le boxon que fut cette manif pour Jackson, maman courut, s'approcha de lui par la droite, laissa tomber sa pancarte, monta à califourchon sur lui, le serra fort et lui embrassa le cou :

« Que je suis contente de retrouver mon charmant révolutionnaire ! tu sais… »

Sourire espiègle de mon père en devenir, qui essaya tant bien que mal de tourner la tête pour voir de quel corps émanait cette voie plaisamment satine ; et il était agréablement surpris, me raconta maman, des années plus tard :

« Euh, pardon, on se connaît ?

Maman lâcha prise et descendit pour mieux voir le visage de l'homme :

— Oh ! euh, dé-so-lée, mon petit copain et vous avez le même T-shirt à rayures. Et la carrure et le teint, euh, n'en parlons même pas ! je vous le jure !

— Oh *gorgeous*, ravissante, pardon, je voulais dire qu'il n'y avait pas de problèmes *sister* ! je vous crois sur parole, tout en espérant que votre petit copain est assez grand sur tous les plans pour réaliser combien il est chanceux. Sinon, ça va ?

Figée, gros sourire et yeux de Bambi, maman ne savait plus où se mettre. De son propre aveu, son cœur battait la chamade, ses genoux tournaient en gelée, ses mains tremblaient face au charme irrésistible de ce beau jeune homme. Elle venait sans doute de rencontrer son âme sœur, car à partir de cet instant-là, ils ne se quittèrent pas de toute la manif, une bonne heure durant laquelle ils prirent un café avec des potes à celui qui allait être mon père, dans un bar d'étudiants vétuste et – avance rapide – un plus un ayant été égal à trois : je me suis vue projetée dans le monde des vivants, en criant à tue-tête *(sourire)* !

Je suis né après le mariage de mes parents, m'ont-ils une fois précisé, car sans union devant Dieu et les êtres humains, ma mémé ne l'aurait pas béni (question de sauver les apparences de ce qui lui restait de foi en Jésus Christ ?). Du côté paternel comme de celui maternel, l'on commença dès l'enfance à me préparer délicatement aux faits d'être à la fois humaine, métisse et noire (un peu confusant pour moi à l'époque), notamment en m'apprenant à défier un monde où j'allais devoir impérativement faire face au racisme. Pour eux, ce n'était qu'une question de temps, mais ils avaient décidé que je n'allais pas me laisser faire. Plus facile à dire qu'à réaliser, sans aucun doute, quand bien même cet état de fait ne pouvait décourager mes têtes brûlées de parents, activistes anti-injustices chevronnés au sang hyperchaud.

Pour faire court, j'ai fait l'objet des mêmes types de discrimination que mes parents, davantage ceux liés au genre et dont maman et les autres femmes de sa famille auront beaucoup souffert. À l'école primaire, de "sale négresse !" pour maman, l'on est passé à "sale noire !" me concernant : deux poids, une mesure. Implicitement ou explicitement, ce que ne savaient pas les parents qui inculquaient à, ou cautionnaient chez leurs rejeton.nes de telles abominations, c'était que chez nous on me disait combien j'étais belle. On me confirmait mon intelligence. On me chouchoutait au point de me permettre d'affronter un monde traumatisant. On faisait de telle sorte qu'à chaque lendemain de cours, insultée la veille ou pas, à la limite de la déprime ou dans un plus piteux état, je me réjouissais d'avance de mon retour à l'école, de mon week-end ou encore de mes vacances. Au cours secondaire, collège et lycée, j'emmenai ma déprime du primaire, malgré mes quelques ami.e.s, les efforts monumentaux de mes parents et d'une ou deux membres du personnel. J'étais ciblée en classe et dans la cour de récréation, moi l'ambitieuse qui voulait être journaliste, comme papa, avant de finalement changer d'avis, très vite et pour de bon, en faveur de pilote de ligne. Parce que j'avais vu, dans un des très vieux magazines de maman, des photos de la charmante et opiniâtre Bessie Coleman, première femme noire aviatrice internationale et première pilote-cascadeuse afrodescendante qualifiée malgré le racisme et le sexisme virulents qui lui barraient la route. Je veux devenir pilote, répétais-je sans cesse à ma famille, pour voler au-dessus de toute cette énergie négative, et ainsi échapper aux méchants *(mot que j'allais remplacer, au lycée, par "racaille" et "merde raciste").*

Déprimée, je l'étais à cause de mon silence involontaire. En y réfléchissant encore présentement, je dirais que j'étais devenue incapable d'extérioriser mon ressenti, je n'étais pas en mesure de cracher le feu raciste qui me consumait de l'intérieur. En même temps, mes parents et leurs ami.e.s ne me lâchèrent pas pour autant. De surcroît, je fis des rencontres heureuses et instructives ; j'eus des professeures qui m'enseignèrent une philosophie qui me lança à la recherche, non pas de L'UN, mais du PLUSIEURS ; je croisai la route de conseiller(ère)s qui m'orientèrent, de confrères et consœurs avec qui je m'épanouis, d'œuvres littéraires, faisant fonction de chambre cossue, de refuge huppé, me permirent de me trouver ou, lorsque perdue, de me retrouver. En fin de compte, chose extraordinaire à mes yeux de l'époque, je pus enfin transformer mes premières peines en une habilité discursive et émotionnelle que je jetai à la face du monde, sans rancune, mais avec force soulagement et exultation : un pan de la jeune fille que j'avais été devint à jamais évanescente ! progressivement politisée, je dégainais et tirais sur racisme, sexisme, iniquité salariale femmes-hommes, et j'en passe. Bien sûr, tout cela a pesé sur mon mental et m'a rappelé que j'étais un être racé, racialisé, que je le voulusse ou non. Il s'ensuit que, à n'en pas douter, peut-être, je traînerais des traumatismes aujourd'hui. Il est du moins certain que j'ai reçu des gifles inattendues et j'en ai rendu de plus chaudes, que j'ai pleuré à cause de commentaires racistes proférés à mon encontre et ai fait couler des larmes de racistes en herbe à qui, clairement, les parents bigots avaient menti : "Eh ben, avant de vous affaler sur votre sofa empuanti par vos pets de fascistes, sachez que vos noms de famille, Kozy, Mour et Kraut, ne sont point quintessentiels à ce pays, contrairement aux chimères que vous adorez ânonner, pétasses de migrantes intergénérationnelles endurcies va !"

Mentalement engourdie, j'ai eu à combattre d'autres démons, ceux-ci devenus miens, propres par la force des choses. Le premier pédophile qui m'avait agressée sexuellement, dès l'âge 6 ans et de manière récurrente pendant deux ans, était un militant et journaliste révolutionnaire originaire d'Afrique, politiquement black, dont le charme avait foudroyé ma mère par le truchement de George Jackson ; il était très proche de moi, je l'admirais tant ! Le second pervers qui m'a violentée entre 7 et 8 ans fut un blanc d'Europe en qui j'avais confiance. Autant les agressions du premier ne me parurent et m'apparurent comme telles qu'après les faits, et progressivement, autant les violences du second m'ont été brutalement évidentes tout de suite, dès la toute première fois, étant entendu que les deux ensembles d'agressions furent simultanés pendant au moins une année ou plus, je ne me souviens plus exactement. Bref, cette simultanéité aurait pu perdurer, n'eût été la mort subite du premier agresseur, d'une crise cardiaque, disparition qui attrista grandement mes viscères filiaux, malgré la nausée que représentaient à la fois la personne et les actes de ce journaliste. Et je suppose qu'à la mort inattendue de sa couverture, le blanc, Réo Bleinaboin, eut la frousse de continuer à m'agresser ? Ces deux pervers étaient en effet des amis proches. Le premier, qui m'avait très tôt séduit, fut doué à me faire tout accepter et avait dû rassurer "tonton Réo" qu'il pouvait me triturer et me sonder impunément, y compris lorsque lui, le révolutionnaire mélomane, était dans la pièce d'à côté en train d'écouter du *Earth Wind and Fire* ou *Curtis Mayfield.* Cela dit, la question qui me turlupine encore est la suivante *(la commandante de Bord rapproche le dictaphone de sa bouche, elle chuchote, en martelant ses mots)* : où étaient les femmes de mon entourage dans tout cela, mémé, mamy et ma propre mère en particulier ?

Dans tous les cas, à cette époque je me sentais toujours sale, colérique, dégoûtée, coupable, confuse. Il fallait bien que tout cela sorte un jour. Il l'a été. Chez Tara de Balincourt. Une psy que l'on m'avait recommandée. Aussi compterais-je comme partie intégrante de ma thérapie psychologique mes revisites de moments culte de films émanant du cinéma *Blaxploitation* et mettant en scène la très sexy Pam Grier ; elle jouait mes rôles favoris, à savoir des femmes puissantes et (pourquoi pas ?) revanchardes qui n'hésitaient pas à mettre hors d'état de nuire tout mâle et toute femme déviants, *by any means necessary*, par tous les moyens nécessaires, dans trois scènes qui me donnent encore la chair de poule, Grier dit "*you want me to crawl ?*" (*Coffy*, 1973), "*death is too easy for you, bitch: I want you to suffer!*" (*Foxy Brown*, 1974) et "*have I bruised your masculinity?*" (*Sheba Baby*, 1975) : j'ad-doore ! Thérapeutiques étaient, enfin, mes lectures de Toni Morrison, avant et après chaque session avec Tara, lectures qui m'ont interdit d'être distraite face à la vie sécuritairement précaire qu'était la mienne. Parce que racisme, sexisme et violences sexuelles à caractère racial, lorsqu'exprimés de manière si virulente qu'ils vous foudroient, ont tendance à vous faire baisser dangereusement la garde et avaler des couleuvres. Devenue consciemment addicte à la lecture, j'ai lu d'autres auteures telles que Françoise Vergès (politicologue féministe) et Maboula Soumaoro (militante et universitaire afropéenne), mais c'est Morrison qui m'aura profondément touchée et libérée, Morrison qui m'aura fait rentrer dans mon corps pour le reposséder, Morrison qui m'aura rapprochée de mon cœur, tout en me détachant des limitations de mon statut de victime en fracassant lesdites restrictions. Je n'ai jamais accepté d'assumer le victimaire, mais, avant Tara et surtout jusqu'à ma lecture de Morrison, je ne savais pas comment m'en départir ; d'ailleurs, il est écrit quelque part dans l'œuvre monumentale de la native de l'Ohio que "Biologie et sectarisme sont les ennemies historiques", des moteurs de déracinement et de sexisme que les femmes ciblent depuis belle lurette… »

Lorsqu'elle se faisait agresser sexuellement au fil du temps, Georgette apprit à se dissocier de l'acte d'inceste/de viol au moment même où il avait lieu. Et longtemps après ses expériences traumatiques, elle put continuer d'appliquer cette aptitude-là à ses relations sexuelles avec les hommes. Autrement dit, Georgette sait aujourd'hui que, telle une phénoménologue lectrice des *Méditations cartésiennes* d'Edmund Husserl, elle détachait tête et esprit de son corps en train d'être sexuellement ravagée, de son corps en cours de viol déguisé en affection, pour s'envoler par une fenêtre, ou toute autre aperture, aussi petite ou grande qu'elle fut, dans le but de créer un autre corps dans son champ perceptif, corps issu du transfert aperceptif du premier corps dont l'agression sexuelle est en cours, mais, aussi et simultanément, en oblitérant toute ressemblance entre ces deux corps *(acte de survie qui s'écarte ainsi de la démarche Husserlienne)*. Il fallut ensuite que Georgette ait lu quelque part l'histoire d'une certaine Marylin pour se rendre vraiment compte qu'en termes de relation sexuelle, elle n'avait jamais cessé d'être phénoménologue ; lire cette histoire lui permit de réaliser que de nos jours il lui arrive d'oublier les trois quarts de ce qu'elle fait avec ou dit à un homme, au lit, y compris tout éventuel acte d'agression qu'elle-même perpètre : « Marilyn s'est aperçue qu'une fois adulte, elle avait continué à flotter au plafond quand elle faisait l'amour avec un homme. (…) En général, elle ne se rappelait pas ce qui s'était passé, mais il lui arrivait de se montrer agressive. Ignorant ce qu'elle voulait vraiment sur le plan sexuel, elle avait peu à peu cessé d'avoir des aventures (…) ». Georgette, elle, a progressivement arrêté de romancer les hommes, tout en tirant pleinement profit de rencontres jugées thérapeutiques et en se positionnant comme féministe.

« Mon féminisme sans remords me rend prête à critiquer et combattre certaines femmes qui, non contentes de leur passivité nocive vis-à-vis des causes féministes, s'installent également en porte-à-faux avec ces dernières, jouant ainsi le jeu du patriarcat ; certaines d'entre elles vont jusqu'à être agentes subalternes de la frange la plus prédatrice du même patriarcat. Ainsi moi, Georgette, afro-femme aux cheveux blonds et lisses, à la peau si pâle *(la faute ne saurait être mienne !)* que j'aurais pu incarner Clare dans *Passing* (1929), roman de Nella Larsen *(rire)*, moi, Georgette-Touré-voleuse-d'avions *(sourire)*, que dirais-je d'une Ghislaine Maxwell, compagne de Jeffrey Epstein ? Qu'elle est une truie insoutenable, une perverse inutile à toute personne autre que son porc de compagnon ? Oh, que oui !

Je suis devenue pilote de ligne à 30 ans. J'ai eu un rêve fou et suis parvenu à me donner les moyens de le réaliser. Lors de ma formation, nous n'étions que deux femmes. À part quelques têtes brûlées de machos arrogants, minoritaires et minorisées, dont l'un me rappelait le personnage d'Iceman dans *Top Gun* (1986), film de Tony Scott qui confirma ma vocation pour les airs, nos camarades de promo nous voyaient comme aspirante-pilotes ; notre genre n'avait aucun droit de cité ; et franchement, nos instructeurs étaient professionnels, courtois et perfectionnistes : ils ne voulaient rien d'autre que nous voir exceller, nous voir réussir.

Alors, zéro problème, point de négativité dans les airs, pourrions-nous dire, nous les femmes ? Eh bien, pas tout à fait, car deux de mes collègues hôtesses, Lagartha Simonsen *(Danoise)* et Ambreen Shah *(Anglo-Pakistanaise)*, avec qui je travaille régulièrement, m'ont rapporté un incident qui avait eu lieu sur un de mes vols transatlantiques, aux commandes d'un Boeing 777-300. Ce jour-là, Ambreen, passagère, entendit non loin d'elle un monsieur déblatérer que, ne sachant déjà pas bien conduire une voiture, les femmes ne devraient surtout pas être aux commandes du plus gros avion de ligne au monde ("quatre cent soixante-douze sièges, s'il vous plaît !" avait-il crié, la voix pleine de rire). Ce cis-mec provocateur, cet adepte des normes genrées qui oppressent, arguait que la femme pilote était un pur non-sens et, en l'espace de cinq minutes, il parvint à déclencher chez certains de ses compagnons de voyage privilégiés une avalanche de préjugés sexistes, machistes et collés aux femmes depuis des siècles, des crachats en cascade de venin de cobra royal, encouragés dans MON avion par d'autres reptiles mâles, de concert avec deux ou trois femmes ("rien d'autre que des femelles apprivoisées !" a renchéri une Lagartha dépitée). C'est ainsi que ce petit attroupement de serpents venimeux déclara la présence d'esprit des femmes suspecte, leur sang-froid aléatoire, leur hystérisme avéré, leur incompétence et leur perversion évidentes…

Nous ne pouvons non plus dire zéro problème parce que, d'autre part, sur la terre ferme, il y a encore un énorme souci à se faire par rapport au fléau des violences faites aux femmes ainsi que leurs nombreux et affligeants corollaires qui nous étouffent. En effet, il suffit d'être "femme" pour que le harcèlement sexuel vous suive comme votre ombre, de la maison au travail, en passant par les services publics comme les transports. Même au volant de notre propre voiture, nous, femmes, n'en sommes pas à l'abri. Par exemple, selon la distance que je souhaite parcourir, la vitesse souhaitée et/ou, d'après mon feeling du moment, je prends ma *Tesla Roadster* gris métallisé, ma *Porsche 911 Carrera S Coupe* rouge-sang ou ma *Range Rover RS Fender* noire, mais peu importe la voiture choisie, je m'en prends toujours plein la tronche, particulièrement durant les rares moments où les chevaux de race sous le capot de mes bolides ne placent pas, loin dans mon rétroviseur, les jaloux *(et jalouses)*, les misogynes frustrés et autres sexistes en voitures ordinaires. Dans ce contexte, feux rouges, stops/cédez-le-passage et embouteillages sont les pires pour moi. Par contre, je m'y amuse follement, en toutes saisons, perruque afro noire d'une rondeur parfaite, ou mes cheveux blonds tressés à l'Africaine de l'Ouest, chemise blanche ou crème ouverte à racine de gorges passant rarement inaperçues. Du haut de mon mètre 75, des fois, je toise ou réponds aux provocations, mais la plupart du temps je me contente d'attraper mes *Ray Band* et de laisser les ombres harceleuses disparaître progressivement dans leur stupidité rétro-visée ; je les fume, non, je les baise toujours au démarrage... Qu'est-ce que je me marre, mais revenons à nos porcs pour dire que, bien sûr, l'ombre animale qu'est le harcèlement sexuel est mue par le mâle incarnant le *pig* façon Harvey Weinstein, ce producteur de films accusé d'avoir libéré la parole d'une centaine de femmes et de filles par le biais du viol ou d'autres types d'agression sexuelle, une ombre mue aussi par certains soi-disant bons mâles qui, en porte-à-faux avec leur silence complice face à notre harcèlement sexuel, sont autant prêts à en découdre avec ce dernier qu'avec d'autres formes de violences que nous subissons : laissez-moi vous dire qu'ils nous sont tout sauf utiles. Pour ma part, il est vrai que je ressens plus de dégoût lorsqu'un mâle blanc harcèle et violente une Afro. Cela est dû au fait qu'une partie des agressions sexuelles que j'ai subies provenaient d'un blanc. Je placerais également les causes d'un tel ressentiment en le fait que, une fois sortie physiquement de l'enfance et des viols du révolutionnaire "noir" *(au fait, n'eût été sa mort, survenue lorsqu'il violait une prostituée mineure, je l'aurais déjà fait ensevelir six mètres sous terre)*, dans mon entourage implicitement ségrégué, pas une seule fois mon radar ne m'avait fait voir ou entendre, même sous forme de rumeurs, qu'un mâle noir s'était permis un tel écart de comportement. Les exemples du chanteur Kelly et de l'acteur Cosby, coupables ou non, étaient très éloignés de moi culturellement, ce qui, bien sûr, ne veut pas dire que le mâle noir universel est au-dessus de tout soupçon. D'ailleurs, à la première page d'un livre dont le titre m'échappe, bouquin lu vite fait dans une librairie du Devon, au sud-ouest de l'Angleterre où j'étais en vacances, l'auteure, une ravissante femme blanche anglaise, écrit "Il était noir", grand, fort, élégamment vêtu et il l'avait violée un soir, dans un coin de rue, en plein Londres bruyante. Son violeur ne fut jamais retrouvé, nous dit-elle. Alors, je le répète : je n'excuse pas les mâles-porcs noirs qui agressent sexuellement, mais lorsque leurs homologues blancs le font à une Afro, cela me tord les viscères, cela me dégoûte davantage. Est-ce ma conscience de l'aspect racé de l'affaire qui parle ? Est-ce à cause de l'histoire de la disponibilité tacite de la femme afro pour le porc blanc lambda, de l'esclavage à la liberté, en passant par la ségrégation façon *Jim Crow* ou d'autres périodes et systèmes coloniaux et patriarcaux qui émasculaient le mâle noir collectif, forcé de partager ses femmes aimées (épouse, fille, nièce, sœur, cousine) avec le porc blanc qui, lui, devenait souvent violeur parce que se croyant tout permis sur les Noir.e.s ? Je répondrais oui sans pour autant occulter le fait que cette femme afro n'était pas consentante, qu'elle avait des mécanismes de résistance allant de l'évasion au suicide – plutôt que de soumettre son corps et son âme à des violences sexuelles répétées –, en passant par le meurtre d'au moins un des porcs blancs qui l'aura violée. En même temps, je campe sur mes positions, je me creuse des tranchées intimes telle Bintou Wolof, poète lue récemment, et dont les poèmes époustouflants comme "Femme objet-sexuel", d'où je cite ce qui suit, me parlent :

"Elle n'en peut plus que tu fasses usage de son être
Charnel
Elle ne veut plus que t'abuses de son être sexuel
Tu ne te soucies même pas de sa personne humaine."

"Mes propres tranchées intimes ont été creusées pour du baston de mâle blanc – je n'ai pas la subtilité de Wolof, mais je sais haïr un porc, blanc en l'occurrence, quand j'en vois un : je nommerais un Kevin Spacey, mais aussi et surtout un DSK parce qu'il incarne tout un système créé pour faire du yo-yo entre prédation et intimidation sexiste, un système misogyne mettant le corps féminin en exergue et à l'épreuve de la saucisse masculine ambulante, ledit corps étant ainsi écartelé entre d'interminables pôles nauséabonds. DSK était et est accusé par Nafissatou Diallo, Afro de Guinée Conakry, et femme de chambre, d'agression sexuelle et de tentative de viol dans la suite 2806 à l'hôtel *Sofitel* de New York. Diallo en a récolté 1 500 000 $ et une inculpation de DSK par un grand jury new-yorkais. Elle est devenue commerçante et élève toujours sa fille. Mais peut-on dire qu'elle ait gagné quoi que ce soit dans cette affaire ? Personne d'autre que le porc mâle blanc ne semble y gagner quelque chose – et que les antisémites ne viennent pas me dire que DSK et Weinstein ne sont pas vraiment blancs : ils ont tiré profit du privilège blanc. Cela dit d'un autre point de vue, même le porc blanc perd au change des agressions sexuelles, vu que DSK, par exemple, est tiraillé entre deux perceptions qu'il ne peut contrôler : d'un côté, il est l'expert financier qui se fait encore des millions d'euros, mais de l'autre il est considéré par l'opinion publique comme un animal humain sans morale, un prédateur sexuel qui, de surcroît, est violemment sexiste.

En fin de compte donc, personne ne gagne dans ces histoires de violences faites aux femmes. D'où l'impératif de revoir la fabrication de tout mâle, point barre. Et cela, très tôt. Tout doit se passer durant l'aube de la vie du jeune mâle afin de lui apprendre que la masculinité ne peut toujours triompher, que de croire en cette chimère-là, de la cultiver et de l'exhiber transforment le mâle en un cliché d'une photographie mal prise, qui plus est, cela conduit aux désastres intergenres vus de nos jours. En fabriquant des mâles, et des femmes, veillons à ce que l'intergenre, j'ai nommé la relation fille-garçon, prélude des rapports femme-homme, soit fluide, que l'essentiel ne (se) fige pas et que la norme, quelle qu'elle soit, ne nuise point, au sein de l'école comme en dehors. L'on aura ainsi compris, je l'espère, que je ne parle plus (que) de fabriquer le mâle blanc, mais de construire le petit mâle universel à qui l'on veut faire éviter les problèmes comportementaux susmentionnés. Pour commencer, bannissons la notion d'activités pour garçons ; dès leurs années de puceaux, ces jeunes mâles ont besoin que nous, filles et femmes, soyons *in their faces*, que nous envahissions leur espace personnel : ils doivent s'habituer à nous voir comme filles, jeunes filles, puis femmes parce qu'à coup sûr, pour être efficace, une telle posture ou démarche est à poursuivre de l'enfance à l'âge adulte. Enfin, une telle mixité fera que ces mâles éviteront toute cette excitation violente que leur inculque son manque, absence constamment sujette à en faire des sexistes, des homophobes, ou encore des misogynes en puissance : thèse sociologique, lue quelque part, nous, femmes, avons cet effet sur la manufacture des mâles et, tout comme eux, nous avons tout à y gagner parce que la fin du viril, version *old fashion,* et le début du bien-être d'intersexes, d'intergenres, elle en est la cerise sur NOTRE gâteau…

Cela dit, reprenons de l'altitude argumentaire *(sourire)* pour dire que voilà quelques années maintenant que je survole un ensemble de déchets existentiels qui aura tenté de me pourrir la vie parce que j'étais une enfant violée, parce que je suis métisse et femme, parce que je suis femme et libre, parce que je suis libre et intelligente. Au contraire de Kelly, ce porc de chanteur mentionné plus haut, je ne dirais pas *"I believe I can fly / I believe I can touch the sky"*, mais plutôt *"You better believe I can fly and touch the sky, because your arse is in my manicured hands!" (rire)* : de gracieuses anges *woke* sont avec moi dans le ciel, mes préférées étant Bessie Coleman (aviatrice) bien sûr, Nina Simone (musicienne), Toni Morrison et Mariama Bâ (écrivaines) ; c'est ainsi que je fais miens les mots d'un rappeur qui dit, "si je meurs ce soir, ne pleure pas" *(car je serai en très bonne compagnie)* et "à chacun son paradis" *(le mien, c'est la cabine de pilotage du Boeing 777-300, d'où je règle tous les problèmes du monde)* ; et pour finir, je me réjouis énormément de dire "pilotage automatique et collègues PNT, je vous adore : *right on ! New* York City sera bientôt en vue…" »

Nènné Gaallé

Hiver. Tôt le matin. Atmosphère calme. Grande chambre d'hôpital. Éclairage au néon. Murs blancs. Deux grands tableaux, *La Promenade* de Claude Monet et *Notary* de Jean-Michel Basquiat. Ce dernier, à quatre mètres à peu près, fait face à une femme, l'air jeune, teint clair orangé, assise sur un lit aux draps et couvertures blancs légèrement défaits, elle est confortablement adossée à deux oreillers reposant contre la tête du lit. La femme lit *La Puissance des femmes*, traité d'anthropologie féministe, qu'elle pose délicatement sur ses genoux, de façon à ne pas perdre sa page. Elle enlève ses minuscules lunettes sans montures, se frotte paresseusement les yeux puis, en les écarquillant légèrement, fixe le Basquiat… Derrière elle, le Monet la laisse indifférente, après lui avoir pourtant semblé très familier au premier regard…

En revanche, elle ne peut s'expliquer son intérêt subit et intense pour *Notary*. L'on dirait qu'elle y voit une ou des vérités fondamentales, cachées ou enveloppées dans d'autres pensées ou évènements. C'est comme si Basquiat l'invitait, là maintenant, à l'accompagner dans un trip pathétique, dans une expérience psychique pleine de souffrance, de douleur et allant des cultures africaines aux mythologies grecques, en passant par une quête multiforme du bien-être. La femme donne l'air d'être hypnotisée, figée par *Notary* ; elle semble faire corps avec ou projeter des vibrations haineuses vers ce torse presque déshydraté d'homme, aux prises avec sangsues, puces et autres parasites qui lui dévorent la chair. La femme dépose son livre sur la table de chevet, se redresse, met ses autres lunettes pour mieux fixer l'épicentre du Basquiat, le torse d'homme susmentionné, en proie à des tribulations psychophysiologiques qui semblent la happer, lentement mais sûrement, au point de la faire entrer dans une chaîne de transes pensives et centrées sur l'Homme *(comme genre)* et son torse, et son sexe, sur les mâles qui ont causé des dégâts en elle et ses amies, certaines de ces dernières n'étant plus sur cette terre. En fin de compte, *Notary*, peinture non familière à cette femme assise sur un lit d'hôpital, parvient néanmoins à lui sucer des souvenirs enfouis dans des compartiments très profonds de son cerveau, coffres dont elle avait délibérément jeté les clefs dans le mélange en béton armé de son existence, de sa vie assiégée par l'Ogre-Homme et ses complices femelles… C'est ainsi que la femme entre en transe, par le biais de ses pensées, immobile au milieu du lit, elle est transportée vers d'autres dimensions, vers d'autres temps qu'elle croyait probablement avoir oubliés pour toujours.

« Si nous sommes conçu.e.s par le biais du viol et que nous le sachions, devrions-nous pour autant nous résumer à cet acte odieux ? serions-nous obligé.e.s de nous concevoir, de nous construire à partir d'une telle identité *(si l'identité existe, s'entend)* ? ou, plutôt, ferions-nous mieux de mettre en branle une identification de nous-mêmes apte à nous faire émerger du plus profond des traumatismes ? Autrement dit, devrions-nous, comme conseillé quelque part, reconstruire notre carte intérieure pour savoir percevoir le réel, le danger, la sécurité ? Ferions-nous mieux, en somme, de nous créer notre propre processus d'auto-identification ?

Si vous voulez me connaître, commencez par l'acte ignoble de virilité sauvage susmentionné, le viol, ignominie qui aura perforé et couvert d'hématomes les entrailles d'une noble femme prise au piège de cette invention patriarcale qu'est le mariage, fabulation qui avait été articulée pendant tant d'années de préparation minutieuse, alors même que le corps de la femme ciblée, ma mère, n'avait pas été prêt à accueillir en lui l'ADN d'un mâle. Il faut commencer par cet acte-là. Même s'il se pourrait qu'il faille également prendre en compte que ma mère eût le courage de me garder, moi, fœtus issu d'un mâle qui (lui avait) fait mal physiquement et psychiquement, moi, l'aboutissement douloureux qui allait lui rappeler ce monstre – pour l'éternité.

Maman avait 15 ans ; elle n'était plus une gamine selon son entourage et sa société, notamment les hommes qui, au Grand-Place comme à la sortie des édifices religieux de son quartier surpeuplé, jappaient, chacun, sur son célibat de « vieille fille », tels des chacals, ces charognards, opportunistes, pilleurs et prédateurs, qui préfèrent s'attaquer aux animaux blessés ou malades et mangent tout, des mammifères aux champignons, en passant par les sauterelles et les lézards. C'est l'un de ces hommes-chacals, malveillant à mes yeux, mais respecté dans la communauté, qui viola ma mère, nia l'acte, pour ensuite déclarer préserver l'honneur de maman, parce qu'elle était issue d'une famille respectable, en acceptant de l'épouser en catimini, avant que sa grossesse ne fût visible : rien d'autre qu'un acte charitable de solidarité avec mon grand-père, disait-il avec fausse modestie à tout bout de champ. Pathétique. Mais ce qui me sidère le plus, c'est que, à la suite de son soi-disant philanthropisme, l'on eût le toupet de lui en avoir su gré, que l'on adula ce prédateur. Également scandalisée suis-je par le fait que seule maman était tenue responsable de sa grossesse : pourquoi s'était-elle laissé enceinter si négligemment, se demandait-on à tort et à travers ? Quant à moi, je me suis toujours dit qu'elle avait été non consentante, qu'on l'avait agressée sexuellement, son corps violé et son âme meurtrie, en même temps que l'on s'obstinait à dire qu'elle était fautive, qu'elle n'avait qu'à ravaler sa culpabilité indiscutable et l'enfouir au fond de son corps ébranlé, qu'elle n'avait qu'à se taire et s'estimer heureuse de s'être vu demander la main par un homme aussi respecté que noble et qui allait subvenir à tous ses besoins : « Sérieux ? » ai-je encore envie de crier. En somme, ces circonstances aberrantes m'ont créée et, depuis toujours, m'ont imposé le fait de devoir chercher à savoir où j'allais, où je pouvais aller, où je peux aller dans la vie…

À l'école *(primaire, collège, lycée)* seules mes amies, encore et toujours elles, m'ont permis d'avancer, y compris lorsque je ne savais pas (encore) où j'allais, quand je n'avais pas connaissance de ma destination existentielle. Avec elles, j'étais puissante ou, du moins, j'étais convaincue d'être imbue d'une puissance interne que j'aurais pu faire valoir. Parce qu'autrement je n'avais pas de support fondé sur mon genre, et émanant de lui. Même pas de ma propre mère, je dirais.

En effet, cinq années d'adolescence passées au pays voisin de Teràaŋgamanan, chez un de ses oncles, avaient suffi pour que maman Djouldé échappât à la mutilation génitale. Mon grand-père était persuadé que les études secondaires de sa fille allaient s'y faire dans de meilleures conditions et il avait raison : ma mère était de loin la mieux instruite de toutes les femmes alphabétisées de son patelin. De retour au bercail, sa propre mère l'avait protégée en faisant savoir à qui de droit, fortement et à plusieurs occasions, que « la purification a été faite chez son oncle émigré en pays désertique, réfléchissez par conséquent ! Depuis quand le coupe-t-on deux fois, han ? Quiconque osera s'approcher de ma fille pour en avoir le cœur net, que je sois présente ou pas, perdra queue ou tétons ! à vous de voir ! D'ailleurs, ma fille ne se laisse pas faire, je l'ai élevée ainsi ! » Le message de grand-mère Lamaraana passa comme une lettre à la poste, il se répandit dans le quartier et au-delà comme une traînée de poudre n'attendant que du feu pour faire exploser le baril de cette inquisition patriarcale qui sait être passive-agressive. Nullement surprenant que grand-mère l'ait eu transmis si fortement, avec tellement de conviction, car elle avait, face à elle, une armée de commères, d'hommes chômeurs, de vieux pervers *(dont le futur violeur de maman)*, un public qui, d'ordinaire, craignait son verbe acerbe, son 1,95 m et ses muscles imposants de paysanne active : il fallait éloigner ces prédateurs et charognards têtus et ma grand-mère maternelle, dame à la poigne extraordinaire, s'en était assurée : que son âme repose en parfaite paix, Amen. Je suis convaincue que si elle était encore vivante, l'agression sexuelle par laquelle je suis née n'aurait jamais pu avoir lieu. Du moins, le violeur n'aurait sûrement pas vécu avec tant d'impunité et de sérénité lui permettant de contempler un quelconque mariage avec sa victime, tout simplement parce que mon grand-père,

Maamadi, n'aurait osé lui donner la main de sa fille. Il est vrai que grand-père a toujours confondu maintien de paix et courbure d'échine ; « il a beaucoup de qualités, mais comprendre les relations humaines et les femmes n'en font pas partie », disait jadis Lamaraana, forte personnalité que l'on ne contrariait pas impunément : aujourd'hui encore, tout le monde parle de ma grand-mère en ces termes.

En revanche, sa fille, Djouldé, donnait l'impression d'avoir abandonné son poste de garde à l'approche des troupes adverses. Notre monde était en effet un enfer où les femmes, trop souvent silencieuses, étouffaient les méfaits de bourreaux mâles. Beaucoup trop de ces femmes cautionnaient les violences masculines, en nous tenant à carreau, en se jouant de nos émotions ; elles nous faisaient comprendre qu'il nous fallait céder au chantage émotionnel desdits mâles, elles nous persuadaient que nous étions coupables de quelque chose. Ce laissez-faire monstre et dévastateur m'était connu, mais, n'empêche, j'attendais, j'espérais tout autre chose de ma propre mère, comme, par exemple, qu'elle m'aidât à m'approprier une place sociétale autre que celle qui m'était prédestinée ; j'attendais d'elle un coup de main dans l'abattage des murs patriarcaux élevés tout autour de moi ; j'espérais d'elle un soutien de mon précoce désir de briser ce silence féminin collectif qui nous empêchait de respirer, de vocaliser nos désirs, d'exister. Toutefois, revenons à l'excision…

Ma mère m'a jetée en pâture. Elle m'a laissée à la merci de la lame de rasoir douteusement stérilisée, arche ennemie de la crête à huit lettres qui est garante de future jouissance sexuelle féminine. Une bonne partie m'a été sectionnée avant mes 13 ans. Ainsi, maintes fois me suis-je demandé pourquoi Djouldé m'avait gardée fœtus si c'était pour ensuite me laisser torturer par des écervelées, comme elle ne l'avait jamais été. Grande, ma douleur était autant psychique et psychologique que physique (des mois d'agonie indescriptible) même si en fin de compte j'ai survécu. Contrairement à mes amies et camarades de jeu, Djayli et Fanta, mortes de complications infectieuses, disait-on, du tétanos, confirma l'infirmière consultée trop tard. Le cas de Fanta retint mon attention parce que l'on chuchotait qu'elle s'était suicidée. Ce qui ne me surprenait pas vraiment. Fanta ne voyait pas de sens à la vie dans une contrée aussi verte qu'infestée de mâles mal intentionnés, patelin qu'elle qualifiait, dans un vocabulaire vulgaire, sans être méchante, de repère pour un patriarcat nous faisant endosser des responsabilités qu'il inventait de toutes pièces, nous faisant porter une multitude de fardeaux sexuels par lesquels nos corps se retrouvaient agressés, nous, jeunes filles ou femmes supposées être, à la fois réceptacles consentants et uniques responsables de tout ce qui (pro)venait des mâles et nous tombait dessus – ou dedans. Ainsi parlait Fanta.

Elle aimait lire ; Fanta lisait beaucoup *(son cousin, bibliothécaire, lui avait procuré une carte)* et elle aimait partager ses BD et autres livres avec nous. Fanta cogitait davantage. Elle nous entretenait parfois de choses que nous considérions comme lourdes, tels les méfaits de la dépigmentation sur la peau noire. « Aah, *tchiip*, Fanty, viens plutôt tenir un bout de la corde pour que l'on puisse bien sauter ? Notre peau est déjà assez marronne et très belle, donc arrête ton sermon là, *tchiiiip* eh ! » lui sortis-je à cette occasion ; elle en rit, en secouant la tête et jurant sur la ceinture de son père que nous ne voyions rien au-delà du bout de notre petit nez épaté : nous en rigolâmes en chœur.

Fanty haïssait les hommes pour des raisons qu'elle n'avait jamais voulu révéler. Cela ne me posait aucun problème. Cependant, j'en voulus à Fanty de s'en être allée sans crier gare, en nous laissant une béance que nous ne pouvions combler et des souvenirs, rien d'autre que des souvenirs, qui nous faisaient pleurer son absence. D'autant plus qu'à titre d'exemple, Fanty fut la première à me parler du combat d'une Malala Yusafzay encore inconnue, pour le droit des filles à l'éducation, droit que Yusafzay défendait contre des Talibans très actifs dans son pays, en écrivant un blog sous pseudonyme. Elle nous disait que les Talibans étaient violents, sexistes envers les femmes, ne leur reconnaissaient aucun droit et que, si elles ne se soumettaient pas à leurs strictes lois sur comment se vêtir et se comporter en public, ces mêmes Talibans allaient jusqu'à leur mettre une balle de Kalachnikov dans la nuque, jusqu'à les exécuter, en public. Fanty était sûre de ce qu'elle disait, et nous la croyions. Parce qu'elle avait l'autorité qu'octroyait une carte de bibliothèque, la lectrice vorace en elle lui faisait feuilleter des journaux et ouvrir des livres qu'elle était supposée lire en cachette, à l'insu des bibliothécaires qui, d'ailleurs, la connaissaient si bien qu'ils ne faisaient plus attention à ses mouvements dans l'unique salle de lecture de la petite bibliothèque du patelin. Fanty fut aussi la première à soulever l'idée folle de postuler pour une bourse étrangère, en temps voulu, ce qui allait nous permettre d'intégrer des universités ou autres centres d'enseignement supérieur. « Serrons-nous les jambes et ouvrons-nous l'esprit, les filles : nous avons un monde nouveau à créer, un monde sans ogres *(rires insouciants de cinq filles, dont Djayli et moi-même)* ! riez toujours, jeunes filles, mais les hommes, déjà cruels, sont également ces gros singes autoprogrammés pour affaler leur puanteur sur nous et détruire notre personne impunément, sans notre consentement ! les filles, il va falloir nous dégager de là, il va falloir réduire à néant ce monstre, battre ce cancer qui nous ronge peau et entrailles ; armons-nous de connaissances, formons nos esprits, quitte à fuir d'ici, et je vous garantis que demain nous appartiendra ! »

Ainsi parlait Fanty, pleine d'énergie et d'espoir. Ayant pu moi-même prendre le chemin de l'exil *(certains diraient « chemin de la migration », ou « fugue »)* grâce à la présence constante de Fanty dans ma tête, je me demande encore ce qui a bien pu se passer dans la sienne pour qu'elle mît fin à ses jours. D'autant plus que Fanty était notre roc, le mien à coup sûr lorsque ma mère me céda à la lame de rasoir de cette prêtresse, vilaine et virile comme un ogre, cette idiote utile du patriarcat sortie tout droit des poches de cauchemars cousues sur le tissu millénaire de nos traditions. Quel était, donc, le vrai déclic de la disparition si prématurée de Fanty ? Cela fait une dizaine d'années que je cherche des réponses, en vain, mais, même s'il m'est difficile de lui pardonner, je ne cesserai de remercier ma Fanty chérie. Surtout aujourd'hui, dans cette chambre d'hôpital plus gros que notre village *(rire, sans arrière-pensée)*, chambre où j'ai pu me rappeler sereinement tout ce qui précède. Non sans surprise, car jamais auparavant n'avais-je vu le *Notary* de Basquiat. Qui plus est, je ne pouvais imaginer qu'une peinture pouvait, et allait, avoir un tel effet sur moi, qu'un tableau pouvait déclencher en moi une diarrhée de pensées plus ou moins morbides qui me rongeaient *(sourire, nerveux)*.

Mon regard quitte le Basquiat pour *La Puissance des femmes*. Je suis excitée à l'idée de le finir dans pas très longtemps, après ma plus récente délivrance dont le prélude m'apparaît sous la forme d'un gynécologue-chirurgien souriant, debout à côté de mon lit avec son équipe. *(Un temps.)* Le doc gynéco est beau, grand, noir. Je lui ouvrirai mes jambes grandement, avec plaisir, parce qu'à partir d'aujourd'hui il me restituera autrement la partie de ma crête de jouissance volée ; elle me la reconstruira comme par magie. Par conséquent je suis tout aussi contente de savoir que bientôt, sur le chemin menant à la jouissance sexuelle, Dominique me saura à ses côtés, Dominique me sentira, je ne serai plus insensible à ses prouesses satinées et ma psyché, mon corps et mes entrailles profondes ne s'en porteront que mieux. *So, fuck patriarchy : I'm free at last* ! au diable la patriarchie, je suis enfin libre ! je suis un Basquiat, je suis un *Notary* qui incandescente des joues mâles, qui gifle des porcs et des violeurs ! je n'ai pas de nom : je suis Fanta Barry ! nous sommes toutes Fanta Barry ! dites *me too !* dites puissance aux femmes, mieux, dites puissance à l'humanité ! je le pense tout haut parce qu'il est dit quelque part que la défense des valeurs humaines est supérieure à toutes les appartenances. *(Un temps.)*

Anesthésie locale réussie. Il est grand temps que le doc gynéco les ouvrent, mes jambes couleur crème, et qu'il reconstruise, couleur marron, ma crête à huit lettres. Il est grand temps de passer du crépuscule de ma vieille vie à l'aube d'une nouvelle. Il est grand temps que des racines s'enfoncent dans mon ciel prégnant de semence et que des cimes fertiles arrosent ma terre injustement sevrée d'eau et de nutriments purs. Enfin, il est urgent que la poésie fasse place au lait cru et non pasteurisé de la femme *Pël* Jàallo Jéeri que je suis ! Un surnom, Nènné Gaallé, me sert de prénom, fait qui, en plus d'être étonnant en lui-même, devient ridicule lorsqu'il devient clair que ma mère et moi-même n'avons jamais connu ou su quoique ce soit de la mère de mon violeur de père. Mais peu importe : j'incarne ma Fanty chérie, je serai éternellement Fanta Barry ! »

Marie-Madeleine

Premier étage d'un immeuble cossu. Bureau au mobilier flamboyant. Que du cuir, en noir et en blanc. Air conditionné. Mélange d'effluves, huiles essentielles. Deux femmes. L'une, teint noir foncé, chemisette blanche, tête ronde à cheveux courts, yeux d'Asiatique du sud-est, pommettes moyennement saillantes, joues droites, mâchoires fortes, lèvres charnues et dents blanches *(on dirait la chanteuse, actrice et mannequin jamaïcaine, Grace Jones des années 1980)* ; feuille A4 à la main, elle se balance dans une chaise de bureau noire, ressemblant à un siège de pilote de Formule 1. En face d'elle, l'autre femme, mince, assise droite dans une chaise blanche, est noire ; ses cheveux sont tressés, ses traits fins, ses baskets blanches, son Jeans *Levi's 501* noir, son T-shirt blanc et traversé d'écritures noires à hauteur de poitrine : « ELLE A DIT NON : DONC, C'EST DU VIOL ! » elle tient dans ses mains un stylo *Bic*, un petit carnet et un dictaphone numérique portant l'inscription *« Femme illimitée »*, nom d'un magazine féministe célèbre dans le pays, et son badge laisse lire « Dija ELZOADA, Éditrice » : elle est ici pour un entretien.

« Comme convenu, Marie-Madeleine, nous aborderons des moments choisis de votre biographie, de l'enfance à l'âge adulte, mais aussi des épisodes de votre militantisme féministe. Les questions que j'avais préparées et envoyées par courriel, ont-elles été bien reçues ? »

L'hôte hoche la tête et montre sa feuille A4 :

« Oui, mon assistante en a confirmé la réception auprès de votre équipe d'accueil. »

« Très bien. Si tout va bien, je n'aurai ainsi pas besoin de vous les reposer ni ne devrai-je avoir à vous interrompre. C'est à vous *(sourire chaleureux)* ! »

« Merci, Dija Elzoada. Le personnel est politique, et le politique est personnel. Avant d'accéder à l'arène publique, ce qui nous pousse à sortir du lit le matin, à descendre dans la rue, à aller au travail peut-être, mais certainement à passer le plus clair de notre temps à cogiter, à marcher dans une manifestation, ce qui nous fait faire des *sit-ins*, nous pousse à nous rebeller et j'en passe, cette chose-là, elle est personnelle. Banal, me direz-vous. Mais l'on a besoin du banal, de l'épuré, de l'os sans viande, afin de comprendre la plus simplifiable des choses, c'est-à-dire, sa propre personne, son tout personnel, pour ne pas se tromper de combat et s'enliser dans les marais, les sables mouvants ou la mangrove d'autrui, pour ne pas passer à côté de sa vie, de LA VIE, pour ne pas regretter, les regrets étant la pire des choses qui puissent nous arriver sur cette terre. Ces regrets, pour éviter, il faut partir du personnel, de l'enfance, de l'adolescence ; je l'ai lu quelque part, sûrement dans un des nombreux romans que je dévore à longueur d'année : "Est-il nécessaire d'entourer l'enfant de garde-fous aptes à l'empêcher d'être un(e) abruti(e) ? Peut-on se remettre d'une éducation scolaire abrutissante ? Ou tout simplement, peut-on guérir de son enfance ?" Soit dit en passant, j'adore les romans ; ils me font voyager comme une solitaire qui ne se sent jamais seule *(contrairement à ce qu'a tendance à croire mon entourage)*, car ma solitude celle du poète, nommément du Libanais Jubrān Khalīl Jubrān selon qui toute solitude est une tempête qui ne casse que les branches mortes de notre existence... Mais ne nous égarons pas *(sourire)*, revenons aux questions posées plus haut, plus précisément à la dernière nous interpellant sur l'enfance, question à laquelle je répondrais par "non : on ne peut pas en guérir". »

Je n'ai pas guéri de mon enfance et c'est tant mieux. Cette enfance a fait de moi ce que je suis devenu, ce que je continue d'être, ce que j'essaie d'être ; le personnel est politique, mon personnel est politique, parce que, voyez-vous, avant même d'avoir compris que j'incarnais ma condition et mes convictions contemporaines, parties intégrantes de mon ADN pour ainsi dire, j'en étais déjà imbue. J'étais engagée. J'étais déjà ce que je suis aujourd'hui, une sorte d'anarchiste *(selon mon entourage d'alors)* dans un des quartiers populaires (lire, « quartiers malfamés ») de ma ville tropicale de naissance, où les repères de stabilité psychosociale, s'ils existaient, n'étaient visibles qu'à l'œil nu des riverains dudit quartier à caniveaux à ciel ouvert, à baraquements sans latrines et presque empilés les uns sur les autres, tellement la colonisation non autorisée de cet espace limité avait été sauvage.

« Toutefois, m'étais-je demandé, autorisation qui viendrait de qui ? » et, sans vraiment attendre de réponse *(enfant trop impatiente)*, j'interrogeais mon entourage là-dessus, ma mère en premier, femme battante qui s'était hissée très haut dans la sphère des arts, du théâtre au cinéma, en passant par les plateaux de télévision. Elle, dame aux traits fins, grande, belle et, surtout, très talentueuse. Elle qui avait fait des études post-Baccalauréat, considérées poussées pour les femmes de sa génération qui n'échappait que rarement au patriarcat coercitif pour trébucher sur le collège où, de toute façon, le même patriarcat arrivait souvent à les parquer puis exclure et, se faisant, les faire tomber à côté de cette vraie cible libératrice qu'est la réussite professionnelle. Autrement dit, ces femmes s'instruisaient pour pas grand-chose, à la très grande satisfaction du patriarcat. Durant mon adolescence, ma mère devint cadre de la fonction publique et relégua définitivement les arts au second plan, pour pouvoir passer une dizaine d'heures par jour à son travail. Un an plus tard, à peu près, au sein du même quartier, nous déménageâmes à quelques encablures des baraquements pour nous installer dans une maison avec eau courante, toilettes, électricité, etc. Seulement voilà, n'oublions pas que non, disais-je, l'on ne guérit pas de son enfance, pas des violences de toutes sortes qui étaient monnaie courante dans notre nouveau coin de quartier ; ce fléau ne lui était pas propre, du moins dès ma préadolescence commençais-je à le croire en observant mon tout-univers, à savoir, les deux parties de mon quartier et le collège *Amadou*

Hampaté Bâ, sise dans un quartier populaire voisin, pas loin du nouveau chez nous. Il y avait en effet des débrouillard.e.s qui géraient comme elles pouvaient, mes ami.e.s et moi qui, entre des épisodes d'études/d'école ou d'autres activités, traînions dans divers endroits du quartier, allant rarement au-delà de l'autoroute située non loin de là ; il y avait également une promiscuité, un chômage et une oisiveté galopants ; et tout cela aura affûté mes sens, mon intellect en particulier, d'autant plus que la totalité de ce qu'impliquait le fait de vivre dans ces quartiers dépassait mon tout-univers : je ne pouvais (y) échapper.

En attendant d'y revenir, sachez que ma mère subvenait bien aux besoins de mes plus jeunes demi-frères et demi-sœurs de même père *(son mari actuel)*, ainsi qu'aux miens, moi qui fus une erreur de jeunesse, une *love child* qu'elle avait eue à 17 ans, hors mariage. Par la suite, mon père biologique épousa une femme que sa famille à lui jugeait respectable et fit d'autres enfants. Toutefois, il n'était pas en reste, même si tous les bons soins de nos parents n'amoindrissaient en rien la pauvreté, la confusion et principalement les violences de toutes sortes qui nous tournaient autour, dans le voisinage, telle une horde d'hyènes affamées guettant l'opportunité de nous dévorer un.e à un.e. La plus criarde de ces violences-là, à l'échelle nationale, allais-je découvrir, semblait toujours émaner d'hommes, jeunes comme moins jeunes, tout en ne ciblant que des jeunes filles et des femmes.

Apparemment, ma mère et les femmes en général ne savaient rien faire d'autre que se soumettre ! autrement dit comment se faisait-il que la femme analphabète autant que celle instruite, la femme *Pël* ou *Hawusa* comme celle *Igbo* ou *Ndebele*, la femme du Nord, du Sud, de l'Ouest et de l'Est de mon pays, de mon Continent, y compris ma propre mère, si *free* et cultivée, comment se faisait-il qu'elles fussent globalement si soumises, à des degrés divers bien sûr, mais soumises tout de même ? Qui plus est pourquoi dans mon quartier, au sein de mon entourage, les jeunes garçons et les hommes n'étaient pas traités de la même façon que les jeunes filles et les femmes ? Dès ces moments de questionnement je commençai à me révolter, de manière désordonnée et sans outils adéquats pour canaliser cette révolte vers du positif et pérenne, je l'accorde, mais d'une chose j'étais sûre : je n'allais pas devenir l'une de ces femmes que je voyais au quotidien ; mes rapports aux garçons et aux hommes allaient être différents, très différents, en fait, si différents qu'à l'âge adulte les portes de ma vie intime n'allaient leur être ouvertes qu'au même titre qu'elles allaient l'être pour les femmes, mes sœurs et consœurs. Au-delà de ladite intimité, dans ma vie de tous les jours, la femme allait prendre le dessus sur l'homme. Et aujourd'hui, avec un recul de près de trois solides décennies de révolte, je dirais que tout cela avait été, restait et reste plus fort que moi.

Ce sont les femmes qui intéressent mon travail de militante, d'intellectuelle, d'artiste. Mon personnel en est devenu encore plus politique, mais, comprenons-nous bien, je ne suis pas anti-hommes ; je crois que l'on a besoin des hommes pour construire une société juste, égalitaire et où les femmes tiendraient une partie-non négligeable des rênes qui font ou défont un pays, une société, une famille : c'est juste que ces sexes faibles, j'ai nommé les hommes, affaiblis par un chromosome Y voué à disparaître un jour, ces chromo-déficients en devenir, pour ainsi dire, ne constituent simplement pas ma priorité. En réalité, le fait même d'aborder le patriarcat et ses méfaits nous permet, logiquement, d'occulter l'homme, son ossature, son ADN et son statut de juge et partie ; du plus timoré au plus dévastateur de ces hommes, ai-je envie d'ajouter, en passant par les moutons fatalistes qui (re)mettent tout entre les mains de Dieu ! Une certaine catégorie de femmes est également à blâmer ; j'ai nommé celle qui profite d'une clique de mecs se croyant universelle, d'un patriarcat au sein duquel elle a tellement trouvé sa sorte de zone de confort qu'elle en sacrifie un nombre non négligeable de jeunes filles pour des générations à venir : la honte sur cette espèce de femme, perpétuatrice d'une soumission silencieuse que j'abhorre !

Cependant les hommes, c'est une autre paire de manches ; il faut les surveiller tel du lait sur le feu. J'ai même envie d'aller jusqu'à dire qu'il faut tous les surveiller et punir, mais en tant que Femme revêtant souvent une tunique nommée Collective, je les surveillerais tous, mais ne punirais que ceux d'entre eux qui le mériteraient. Sachant que pour punir il faut du pouvoir et savoir s'en servir efficacement. Je ne parle pas de faire usage de son beau corps de femme pour faire frissonner, chanter et dépenser les hommes ou les lesbiennes ou les bisexuelles : certaines peuvent voir dans cet usage un quelconque pouvoir, mais quelle éphéméride ! La vitalité et la sensibilité de notre corps sont si évanescentes qu'elles doivent donner à réfléchir. En tout cas, je n'incarne ni ne suis-je cette *vibe* ; je crois plutôt que le féminisme peut découler de et perpétuer la féminité, cet attribut que les hommes n'ont pas et qui, par conséquent, constitue notre propre arme, au même titre que nous sommes les seules à pouvoir tomber enceinte et donner naissance si l'on veut, désormais sans la participation active d'un homme – du début à la fin du process, s'il vous plaît. Nous, femmes, sommes les seules à connaître, avec certitude, le père de notre enfant, autre arme qui, loin d'avoir besoin de violence, doit juste être utilisée de manière aussi assertive que l'est notre lutte pour l'équité professionnelle. À mon sens, cette dernière (lutte) doit commencer chez les filles dès le jeune âge, c'est-à-dire, à l'école. Il faut qu'elles restent dans le système éducatif aussi longtemps que les garçons, dans le but d'étudier aussi bien sinon mieux qu'eux. Car lorsqu'il s'agira de défendre la question de l'équité au cas par cas, tout comme de façon globale, il faudra prouver entre autres que les femmes en question auront reçu le même niveau d'éducation que les hommes. Et bien sûr, il faut éduquer les jeunes garçons *(dans certains cas, il faut les rééduquer)*, sinon le problème restera entier et l'on verra toujours le verre d'un œil négatif, entendez à moitié vide, alors qu'il en faut si peu pour le percevoir dans un autre sens, d'un œil positif, à moitié plein et, ainsi, pouvoir remplir ledit verre sereinement. Peu de femmes semblent comprendre cela, ce qui est dommage parce que, par exemple, le simple fait d'inculquer à un enfant mâle qu'à chaque passage aux toilettes pour faire pipi, la lunette du siège doit d'abord être soulevée, puis rabattue après usage, et qu'elle doit être laissée propre pour une utilisation féminine – parce que, pour faire TOUS leurs besoins, les femmes doivent s'asseoir –, cette forme d'éducation accompagnera ce jeune mâle toute son existence. Non seulement cet enfant mâle rabattra la lunette des toilettes pour ses collègues et sa famille, il transférera également cette habilité de penser, cette aptitude à réfléchir, vers d'autres domaines comme l'équité en milieu professionnel où j'ai été cadre *(titulaire d'un MBA en Communication)* pendant une vingtaine d'années, précisément dans des startups et sociétés de relations publiques. Je m'y suis battue contre des vert(e)s et des pas mûr(e)s, pour faire bouger les lignes, pour faire évoluer les choses. Beaucoup de revers, d'hématomes et d'échecs, mais aussi nombre de batailles et de guerres gagnées. J'y ai triomphé pour moi-même, tout en aidant de plus jeunes femmes à exceller. Parmi ces dernières, hélas, il y avait celles formatées à être soumises, qui se sentaient lasses avant même de commencer à se battre ; elles semblaient incapables d'y voir une quelconque utilité, ineptes furent-elles aussi à se rendre compte que la cause n'avait jamais été perdue d'avance. Fort heureusement, cependant, d'autres jeunes femmes s'imposèrent ; je sais qu'aujourd'hui elles perpétuent l'exemple que mon coaching de sœur et supérieure hiérarchique leur aura fourni, comme illustré par l'histoire de l'une d'entre-elles que je m'en vais vous exposer.

Tout d'abord, la notion qui nous interpelle dans le cas de ma collègue Annayiss, le harcèlement masculin, est importante, voire utile, en termes juridiques. Et là, je dois préciser que concernant l'application de la loi, ou des lois, jusque dans les années 1990, les lignes ne bougèrent pas d'un iota. Même pas sous la houlette des pionnières que furent les féministes américaines émergentes dans les années 1970. Cela dit, le juridique et les consœurs Yankee ont, quand même, mis fin à l'idée simpliste selon laquelle le harcèlement masculin, s'il n'est synonyme d'un certain désir, sexuel et (soi-disant) incontrôlable, imputable au mâle lambda, n'en découlerait pas moins : ce type de harcèlement est un moyen emphatique de domination mâle.

Annayiss, la trentaine, femme dont mon association, *Féminystique*, a aidé la reconstruction, la transcendance de traumatismes liés à des violences subies, avait été une employée col bleu d'une compagnie publique, dont je tairai le nom, célèbre dans le pays. Annayiss s'y était vue harcelée sexuellement par son supérieur hiérarchique ; de gestes et mots timides, hésitants, ce dernier passa à des commentaires sur son joli postérieur, son parfum qui faisait bander, sa peau satinée couleur olive qu'il lui aurait été excitant de caresser ; et au fil du temps, ce fut en public qu'il osa l'attirer vers lui pour tenter de l'embrasser, alors qu'Annayiss ne souhaitait que lui dire bonjour d'une poignée de main. Quand j'écarquillai des yeux à Annayiss me racontant les méfaits de ce porc à balancer, elle me sortit qu'elle était reconnaissante au bouseux *(elle préférait le nommer ainsi)* pour lui avoir accordé des horaires aménagés lui permettant de s'occuper de ses mômes et que, par conséquent, elle ne savait pas trop comment réagir.

« Erreur, ma puce, lui dis-je, t'es en train de l'encourager à presser plus fort sur le bouton de l'indécence et, crois-moi, il ne se gênera point. » Hochant la tête, Annayiss me confirma que le porc en attente de balance passa très vite à des propositions de relations sexuelles, faites de visu puis par téléphone lorsqu'il savait qu'Annayiss était en repos chez elle : toutes furent répétitivement rejetées en bloc et, contre toute attente, le porc commença à chambouler les horaires de travail d'Annayiss, qui n'avait aucun soutien de sa hiérarchie, encore moins de quelques collègues femmes à qui elle avait confié être victime de harcèlement sexuel. Tout le monde semblait considérer son calvaire comme de la simple rumeur ; pire, sa DRH, non contente de douter d'elle, lui rétorqua avec délectation que le porc lui-même, Ku Laxle, disait qu'Annayiss lui aurait fait des avances à plusieurs occasions, qu'elle serait venue maintes fois dans son bureau, munie d'un langage corporel provocateur et de vêtements trop sexy pour l'inciter à s'exciter et le faire courir après « l'allumeuse » qu'elle était supposée être…

Annayiss faillit devenir folle. Insomnies chroniques, crises de nerfs et visites aux urgences devenaient récurrentes. Elle me contacta par le biais d'une accointance commune, au courant de mes succès de militante féministe, en entreprise et avec *Féminystique*, et je conseillai à Annayiss de s'engager dans la lutte syndicale, bouée de sauvetage et moyen certain d'autoprotection. C'est ce qu'elle fit ; au sein de sa boîte, elle gravit les échelons jusqu'au poste de responsable de section. En même temps, quelques plaintes, déposées à la police, et accompagnements d'associations de défense des victimes de harcèlement (dont *Féminystique*) suffirent pour qu'Annayiss devînt un peu plus sereine. Les tribunaux et la médecine du travail furent impliqués, même si aux dernières nouvelles le porc était toujours en poste. Annayiss l'était aussi ; j'avais confiance qu'elle pouvait, qu'elle allait avoir gain de cause – sans changer d'employeur – et qu'elle allait redevenir cette mère épanouie dont la bonne santé physique et mentale referait le bonheur des enfants.

En effet, si Annayiss jetait l'éponge pour aller ailleurs, elle aurait pu revivre un calvaire similaire. Qui plus est le porc et bouseux de sa boîte, j'ai désigné Laxle, ce mâle au gros ventre, à l'haleine de tabac bas de gamme et à l'hygiène globale extrêmement douteuse, selon l'intéressée, allait continuer de sévir.

« Je te reconnais mieux là, Marie-Madeleine, et tu m'en vois soulagée *(rire)* ! » m'avait lancé Annayiss au complexe sportif *Mame Maty Diagne*, où nous avions l'habitude de sympathiser, d'échanger entre femmes, avant et après la douche, ou entre des sessions de *Taebo*, *Tai chi* ou *Yoga* (parties intégrantes du programme *Féminystique* de soutien aux femmes victimes de violences masculines).

Cela dit, je reconnaissais Annayiss de moins en moins, ses traits étaient toujours un peu plus tirés que la dernière fois que nous nous étions vues au complexe sportif. L'on aurait dit qu'elle ne dormait pas encore assez. Ce qui ne m'étonnait pas trop, vu que son porc ne s'en était finalement tiré qu'avec un avertissement, qu'elle était obligée de le croiser tous les jours et de travailler sous son autorité. Annayiss avait fini par craquer, en quelque sorte. C'est ainsi qu'en une autre occasion, à la fin d'une séance de *Yoga*, son « Je gère, *sister* ! » me fit réagir avec une fermeté qui me surprit : « Mais non, Anna, tu as craqué, ton intimité a été violée, contrôlée. Parles-en comme d'une métaphore si tu veux, mais le nœud d'élingue qu'est le problème du harcèlement que tu as subi est loin d'être défait. Les hommes ne veulent pas de nous dans le monde du travail, que dis-je, au sein de structures telles que l'armée, la police ou l'ingéniorat, par exemple ; ma copine Elizabeth Macabou Diatta, ingénieure, cadre, poète et activiste, pourrait vous en dire un paquet. Je ne vois pas cette battante-là changer de boîte, aller garder des enfants ou créer sa propre entreprise, juste pour fuir les hommes et le harcèlement sexuel. Elle dirait plutôt à qui de droit d'aller se faire voir : on ne fait pas chier Liz ! Je pourrais te la présenter à l'occasion, si cela te dit ? *(Annayiss hocha la tête.)* C'est d'elle que j'ai appris que l'imposition de la fellation, ainsi que son corollaire (le non-consentement de la victime), constitue un viol. Autrement dit, ajouta Liz, quand la femme dit non, c'est un viol. *(Annayiss dirigea deux pouces vers son T-shirt ; son hôte hocha la tête.)* Non veut dire non. Il n'y a, ici, aucun curseur d'ambiguïté ou de nuance. Que la pornographie ait suinté jusque dans le milieu du travail, de surcroît, après avoir pris en otage toutes les autres sphères de la société, n'aide rien ni personne. Au milieu de tout cela, enfin, se retrouvent la femme et son corps et ses soi-disant écarts corporels ou comportementaux qui bêtifieraient des hommes toujours déjà en rut ! »

« En fin de compte, un plan de reconversion professionnelle (nouvelle formation incluse) poussa Annayiss à venir travailler comme secrétaire de direction dans notre boîte de communication, *Élite Com*. Aujourd'hui, elle est vraiment épanouie, elle réapprend à réapprécier certains hommes et c'est tant mieux. D'ailleurs heureuse est-elle, toujours, de me rappeler, sourire aux lèvres, une autre de nos conversations sur le féminisme, la femme et le travail à travers l'histoire :

— J'ai lu que la femme existait bien avant l'invention du féminisme, j'y crois fermement.

— Moi aussi, Anna ; imagines-tu une seconde que le féminisme ait pu inventer la femme ?

— Bien sûr que non, idée saugrenue, c'est comme dire que dans l'histoire de l'humanité les femmes n'ont commencé à travailler que récemment ; il me semble plus sensé de dire qu'elles ont toujours travaillé, non ?

— Oui parce que nous, les femmes, avons une force, elle nous a permis une certaine ascension sociale. Nous avons aussi réussi à féminiser l'espace de travail, si ce n'est le travail lui-même, tout en poussant les hommes, porcs comme mâles conscients, à s'y conformer. Et, autre point à surligner, nous les avons conduits à revendiquer la même chose que nous : génial.

— Tu peux me donner un exemple, Maddy ?

— Selon un statisticien nommé Wolff *(Maddy consulte sa feuille A4)*, en 2014 il y avait davantage d'hommes qui refusaient “la contrainte d'une disponibilité horaire sans limite et sans prévisibilité”, des hommes dont le comportement montrait une évolution en ce sens qu'ils abandonnaient progressivement le modèle viril de la “surdisponibilité professionnelle détachée des contraintes familiales”.

— Okay Maddy documentaliste *(rires)*, je ne doute pas de l'avis du sieur Wolff, mais, au vu de la Femme que nous-mêmes et beaucoup d'autres représentons, considérant mon expérience personnelle, il y a encore du chemin à faire…

— Affirmatif, sister. Ensemble. Sans oublier de mobiliser nos allié.e.s de tous genres, sexes et sexualités. Gardons les yeux rivés sur ce qui reste à parcourir. »

« Ainsi parlait Annayiss Gadji, l'une des soixante femmes que j'ai aidées à triompher du harcèlement sexuel et d'autres formes de violences masculines. Une autre d'entre ces femmes, aujourd'hui heureuse, m'a même fait ricaner lorsqu'elle me dit, et je cite, “grâce à toi, Maddy solutions, je suis venue, j'ai vu et vaincu sans sucer de Lollipop et où me frotter à un porc !” C'est tout à ton honneur, *girl*, tout est dans la tête, lui dis-je, il est maintenant de ton devoir de sensibiliser et aider d'autres à t'imiter. Notre type de femme est encore rare, parmi la majorité des femmes que compte notre pays, s'entend. Il nous faut serrer coudes et jambes *(sourire)*. Nous devons également identifier et rallier à notre cause les hommes sympathisants, en faire des compagnons de lutte, travailler avec eux, tout en continuant d'intervenir auprès de nos sœurs, surtout celles lobotomisées par de nombreuses années de conditionnement patriarcal sexiste ! »

« En somme, il faut se méfier ? » demande Dija Elzoada.

« Oui, en effet, même s'il faudrait savoir de qui et de quoi. Jadis, je croyais que mon engagement ne devait être que de terrain et, par là même, je me méfiais des médias et du numérique encore naissant… Je sais, une diplômée de Com qui se méfie des médias, c'est étrange. Mais je pensais vraiment que, pour identifier les besoins et problèmes des jeunes filles et y apporter des solutions, avec l'aide de *Féminystique* et des âmes vaillantes qui nous accompagnaient, chaussures, voitures et temps de paroles/d'enseignements usités généreusement constituaient l'essentiel de ce qu'il fallait faire ; je me croyais sincèrement en train de triompher et faire triompher. La réalité était et continue d'être tout autre, en fait : je souffrais d'un manque de sophistication, d'une absence de nouvelle formation et de nouvelle remise à niveau qui m'auraient fait voir les réseaux sociaux, par exemple, ainsi que les médias en général, comme une composante essentielle de toute lutte pour le salut des femmes ; c'est ainsi que je me reformai pour que tous les deux pussent jouer un rôle crucial dans mon travail : réseaux sociaux et médias m'ont permis d'agrandir mon propre réseau à l'international et, ce faisant, d'attirer des féministes et intellectuelles qui sont poète, directrice d'école renommée (Mme M Camara, *Les Bouts de Chou*), cadre d'ONU Femmes (Dr M S Diouf), ou encore Star des assureurs du Continent (Mme Y A Sarr), etc. Entre réseaux sociaux et médias d'un côté et ce que j'appelle "le terrain" de l'autre, il existe une interchangeabilité. Je dirais même qu'il s'agit d'une interconnexion, comme me l'a une fois démontré ma collègue Fatou en arguant que c'est la conjonction de ces deux entités qui allait nous permettre d'accélérer, d'accentuer nos résultats et "faire de telle sorte que les filles ne se limitent pas à choisir entre être des épouses ou des mères". Fatou avait raison. Fatou a encore raison. Je n'utilisais les réseaux sociaux que pour tchatter avec famille et ami.e.s, ou pour échanger photos, films et articles. C'était, donc, juste une question de temps avant que les limites de mon activisme féministe sans réseaux sociaux ni médias ne me poussèrent sous une douche froide. En même temps me fallait-il un coup de pied là où l'on sait – et j'y ai ce qu'il faut pour faire perdre le nord, à la fois aux XY et aux XX. J'avais besoin de ce coup-là pour transformer ma prise de conscience timide en action concrète de terrain, la morale de l'histoire étant que l'on ne finit jamais d'apprendre. J'ai appris qu'il n'y a pas de féminisme probant sans corpo-réalité, au-delà de la féminité séductrice s'entend. J'ai aussi appris que tout.e féministe doit se donner le choix d'être radicale et/ou violent.e quand c'est nécessaire. Radicalité et violence sont des caractéristiques de lutte que je crois imposés par des circonstances données. Autrement dit, elles ne peuvent être exclues, d'emblée, d'une agitation, d'un soulèvement ou d'un militantisme. Parce qu'à un moment donné ou à un autre elles surgiront forcément, quand bien même de façon éphémère et/ou épisodique. Sinon il serait impossible de faire céder le pouvoir patriarcal.

Dija, pour avoir cogité avec les écrits de Fanon, Ouologuem, Foucault, Kristeva, Deleuze, Mulvey, Bâ (Mariama), ou encore Beauvoir, Adichie et El Tahawy, je crois savoir ce que je dis. *(La journaliste hoche la tête.)* Le pouvoir n'écoute et n'échange qu'avec le pouvoir, raison pour laquelle il nous est impératif d'aller au-delà d'une quête d'équité ; il est de notre devoir de l'atteindre d'abord, bien sûr, mais pour se faire il nous faut viser plus haut que cela. Personnellement, j'ai surtout visé bien plus haut et loin que les quartiers populaires qui m'ont vu grandir, plus haut et loin que le Baccalauréat, plus haut et loin que les hommes, pour accéder plus profondément à l'âme sœur féminine. Du reste pour espérer terrasser les gardien.ne.s du temple nommé patriarcat, il faut absolument viser plus haut qu'une équité avec des mâles ! Triompher du patriarcat voudra dire, entre autres, créer un agrégat de multivers féminins où les hommes s'épanouiront en arrière-plan, c'est-à-dire, dépossédés de tout pouvoir nocif, quelle que soit la force de leur torse, la taille de leur membre et/ou leur degré d'amalgame destructeur entre traditions et religions. Il nous faut donc créer des multivers où les réalités susdites dépasseront les fictions encore actuelles de nos sociétés bancales et moribondes. Nous, les femmes, sommes en train de combattre un système. Le patriarcat est un système, un virus entretenu par des conditions impliquant la complicité de beaucoup trop de femmes en posture de culture biologique, sachant que, par nature, cette dernière encourage la propagation de ce même virus. Il s'ensuit qu'anarchiste ou pas, je suis convaincue que tout virus doit être éradiqué sans cession d'intérêts. Et je suis rassérénée d'avoir lu quelque part que le fait d'être une exigence de liberté, d'égalité et de dignité rend le féminisme naturellement radical. Alléluia ! parce que dans notre pays sahélien, pays très grande gueule sur les droits des femmes, il me tue d'entendre souvent parler de choix que les femmes auraient en mariage, etc. Même des féministes que l'on aurait cru être des pur.e.s et dur.e.s se font prendre à ce piège, parce que c'en est un, où d'un côté l'on vous parle d'intervenir très tôt au niveau des jeunes filles et des jeunes garçons par le biais de la sensibilisation et de l'éducation, et de l'autre l'on vous demande de cautionner la polygamie. D'où ma pose récurrente des questions suivantes, à qui de droit : la religion n'est-elle pas une partie intégrante du système patriarcal, ou, au cas échéant, ne constitue-t-elle pas une section du terreau dans lequel ledit système est (im)planté et duquel il se nourrit ? »

« Excellentes questions. »

« Merci. D'abord, le féminisme lui-même n'est pas un choix, mais une nécessité. Je l'ai argué lors d'une manifestation à la Place de la Colonne de L'Aube, le 8 mars d'une année récente, dans un discours proposant des voies et moyens pour les femmes de s'affranchir des violences qui leur sont faites. J'entends encore des cris d'horreur, paradoxaux parce qu'ayant émané de femmes et d'hommes inconscient.e.s, apparemment, d'un pan tout-entier de la journée internationale des droits des femmes : “Espèce de radicale, on connaît maintenant tes prises de position d'athée ! jusque dans tes parties intimes, t'es qu'une anarchiste ! espèce de lesbienne cachée, tu ferais mieux d'aller te faire voir !” Mais enfin, tous ces cris n'étaient que vents poussiéreux et chauds qui, sous les huées menaçantes de la majorité de l'assistance, se tassèrent aussi vite qu'elles s'étaient soulevées puis disparurent progressivement de mon radar du jour.

Ensuite, Dija, le fait même de (sa)voir, en féministe averti.e, que très tôt doit-on aider les jeunes filles à s'émanciper devrait également nous pousser à comprendre que notre société souffre encore d'une colonisation mentale, occidentale, néfaste et perdurant sous la forme d'un "néo-" moribond. Nous pousser à comprendre que notre société est prise d'assaut par plusieurs religions, sciemment mal articulées par beaucoup de mâles (principalement) dans le but de s'emparer de nos tétons, nos fesses, notre libido et nos plaisirs sexuels de femme, sous le couvert d'un jamborée de bites en transe et brandissant chapelets, rosaires, reliques, tablettes et autres, aidés par l'ignorance et la complicité d'une frange de nos mères, ainsi que d'une minorité de jeunes femmes (cela m'inquiète énormément !).

Par conséquent, dans cette société-là, être consciente et vouloir réveiller ou éveiller les jeunes filles dès l'aube de leur vie devrait pousser quiconque à comprendre que le féminisme DOIT intervenir au sein des foyers, car le mariage y reste important. De la sorte celles que l'on n'aura pas réussi à saisir au vol, pour ainsi dire, à savoir, celles qui n'auront pas eu la chance de vraiment choisir, de véritablement bien entrer en mariage, eh bien elles ont encore besoin de nous aujourd'hui. Le féminisme n'a pas à se rapprocher du ménage tout en le transcendant : il y est déjà. D'où le besoin d'agir sur le fil de cette transcendance. De savoir que ménage et féminisme, étant l'un dans l'autre, signifient que les péripéties du mariage peuvent générer une prise de conscience féministe. En d'autres termes, il se pourrait que certain.e.s féministes n'aient comme outil ou théâtre ou arme que leur ménage ("ou leur manège", ai-je envie d'ajouter) pour féminister – un de mes néologismes, il signifie "exercer ou mettre en pratique son féminisme". En même temps chère journaliste, évidemment, la polygamie (synonyme d'un membre mâle trempé à plusieurs sauces vaginales, l'homme étant ce lit d'hôpital qui reçoit tous les malades, selon la chanteuse Tshala Muana !) ne va pas toujours de pair avec le choix. Ce qui explique l'urgence impérative qu'il y a de déballer, constamment toute subtilité ou baliverne patriarcale susceptible d'échapper à la sousveillance des sœurs déjà handicapées par trop de silence passif, par trop de soumission. Pouvoir choisir librement ne signifie pas être forcé de choisir. Force ne rime pas avec choix, la force ne présente aucune alternative à la personne supposée choisir. De surcroît, il faut une aide considérable de professionnel.le.s pour se sortir de sables mouvants. Alors, idéalement, évitons d'y mettre les pieds pour commencer, autrement dit, efforçons-nous de ne confondre fruits de mer et agrumes ?

Cela dit que sais-je ? Je ne suis qu'une hétérosexuelle, féministe, croyante et pieuse, même si mes détracteurs de tous genres me préfèrent lesbienne mécréante. Ils jasent également sur mon supposé célibat endurci. Je ne peux ainsi qu'imaginer ce que serait leur réaction s'ils savaient que le matin du jour J de mon mariage à un homme que j'aimais très fort, j'avais tout annulé avant d'éconduire le faux jeton. Ces cyniques seraient capables de vomir que le fait de surprendre mon fiancé en *doggy style* avec l'une de mes filles d'honneur consentantes, pantalon aux chevilles, dans les toilettes de la salle de réception que j'étais venu inspecter une toute dernière fois, que ce flagrant délit et ma réaction radicale ne sont que des excuses qui n'occultent aucunement que je fusse gay et anti-hommes. Soit ! Tu sais, Dija, j'assume mes épisodes de célibat-par-nécessité et c'est avec un intérêt renouvelé que je réexamine le cœur et le corps de la femme… *(Un temps. Court. Le téléphone sonne. Annayiss répond, sa voix audible deux bureaux plus loin. Le téléphone fixe de Maddy sonne, elle se dit disponible. Appel transféré.)* »

« Oui allô, c'est cela, Marie-Madeleine Ajavon à l'appareil… Directrice-adjoint de… Ah ! clinique *Choupinette*, ça va Alice ? » Non, cela ne va pas, Maddy s'en doute, la voix d'Alice est grelottante, peinée, apeurée-hystérique et elle a insisté pour lui parler directement. D'habitude pleine d'entrain et d'ondes positives, Alice Grey-Kuyaate, belle âme sachant se faire respecter, ne laisse rien l'ébranler. Mais à travers *Élite Com* Maddy est Directrice de Communication de *Choupinette* depuis cinq ans ; elle connaît Alice si bien qu'elle sait que quelque chose de très grave a dû se passer pour que cette dernière soit dans un tel était… *(Un temps. Long.)*

Maddy est à *Choupinette*. Le brief d'une d'Alice presque affolée, dès le hall, fait se télescoper une foule d'informations qu'il va lui falloir disséquer et traiter rapidement. Un patient important aurait perdu la vie. Vraisemblablement exécuté. Au couloir A du septième étage *(surnommé « étage VIP »)*. Dans la chambre N° 2, prisée pour sa vue imprenable sur l'Océan Atlantique. D'ailleurs, la fille du Secrétaire Général du gouvernement, accouchée par césarienne, ne l'a libérée que vingt-quatre heures avant le potentiel meurtre…

« La police au parfum ? »

« Pas encore, Maddy. Directeur Diplo Mbengue, en déplacement, mais informé, a insisté pour qu'*Élite Com* y jette un coup d'œil d'abord. Et que l'on, euh, puisse bien ficeler notre communication, avant que forces de l'ordre et journalistes ne s'emparent de l'affaire. Euh, tout cela est trop proche du pouvoir central, Maddy. Ce qui vient de se passer est très grave, Maddy, très grave ! »

« Tranquille, Alice, *Choupinette* a bien fait. On va gérer, t'inquiète. »

La Directrice adjointe continue sa diarrhée verbale si intensément que, avant même d'y arriver quelques minutes plus tard, Maddy croit avoir déjà été téléportée sur la potentielle scène de crime : une personne proche du défunt serait la tueuse, elle se serait ensuite défenestrée ; « Quel merdier ! » pense Maddy pendant que Khady Sakho, DRH qu'elle estime, les rejoint en trombe dans l'ascenseur pour annoncer que « catastrophe ! Dija Elzoada, éditrice de renom au flair de féline, journaliste d'investigation qui découvre toujours le pot aux roses, une professionnelle à qui on ne la fait vraiment pas, est à l'Accueil ! elle est en train de poser toutes sortes de questions sur un meurtre et un suicide qui auraient eu lieu à *Choupinette* ! J'ai été appelé en catastrophe, mais que faire, que dire ? Elzoada prétend en savoir des choses sur l'identité de l'assassine suicidée. Selon ses sources, cette dernière aurait été poussée à tuer, si ce n'est à sauter par la fenêtre, mais que dans tous les cas, jure Elzoada, elle finira par tout savoir, comme d'habitude. Ce qui signifie que *Choupinette* devrait s'épargner tout embarrassement futur en vidant son sac *(ses mots)* dès maintenant. Oh là là, on est mal, hein ! Que faire, que… »

« Muselez-moi cette fouineuse de Dija, bon sang ! Jetez-la dehors s'il le faut ! D'ailleurs, d'où tient-elle tout ce qu'elle raconte, hein ? » Alice est folle de rage.

« Oh non, n'en faites rien, s'il vous plaît, tranquille ! Khady, dites à Mme Elzoada que Maddy Ajavon, Directrice de Communication, arrivera dans une demi-heure pour lui parler, sans faute. Elle me connaît et sait que je tiens toujours parole. Il ne faut surtout pas qu'elle soupçonne que je suis déjà ici. Merci, Khady. »

Maddy sait que la clinique ne se soucie que de son image de marque, sans jamais vouloir se salir les mains bien sûr. Elle sait également que c'est l'unique raison pour laquelle *Choupinette* paie *Élite Com* une somme colossale, à cinq chiffres, par heure de consultance. Maddy l'a une fois tirée d'un pétrin de mort accidentelle, à la suite d'une intervention chirurgicale. Mais le cas présent est inédit ; c'est un cocktail explosif fait de faille (dans la sécurité de l'entité prestigieuse), de deuil (une famille proche du pouvoir central a perdu son chef) et d'apparente mort atroce (du potentiel défunt), entre autres.

Cependant, Maddy veut toujours bien faire son boulot. Surtout si cela lui permet de mettre une belle claque au pouvoir patriarcal. Jusque-là, elle a aperçu un cadavre couvert d'un drap, sur un lit au pied duquel gisait une dame, yeux hagards, cheveux hirsutes, haut chiffé, jupe déchirée, elle serre la main du mort si fortement qu'elle en tremble. Personne ne semble oser approcher l'endeuillée qui pleure son mort. Elle pousse des cris de lamentation intermittents et d'une stridence à vous rompre les tympans. Mais heureusement que l'isolation acoustique de *Choupinette* est digne d'un studio de musique tel que *LaButik Slb 2.0*, joyau de Junior, ingénieur du son et pote de Maddy : aucun son ne s'échappe de la chambre N° 2 pour le moment. Maddy remarque des chaussures de couleur noir et blanc à très hauts talons, chères (elle en possède une paire), soigneusement rangées sous la fenêtre ; le vigile du couloir A, septième étage, responsable de deux autres étages depuis une récente réduction budgétaire *(Maddy prend note)*, confirme les avoir vues aux pieds d'une polie petite dame qui l'a salué il y a quelques heures et arborait un sourire assez forcé. Néanmoins, ce qui intrigue Maddy à l'instant, c'est non seulement les mobiles du meurtre présumés, mais aussi où le corps de la meurtrière potentielle serait passé : corps ou pas corps, c'est cela la question ! Elle ne doute pas de l'existence d'une tueuse, « mais enfin, murmure Maddy, pour faire l'effet escompté, ma com a besoin d'un élément crucial du puzzle, c'est-à-dire, d'un corps, ou de la preuve que l'assassine est bien vivante… » Maddy passe la tête par la fenêtre, ne voit rien six étages plus bas.

« Et puis cette façade de la clinique semble taillée directe dans la roche noire. Mon Dieu, l'on n'est pas près d'y voir clair, hein ? » ajoute-t-elle entre les dents. *(Un temps.)*

Pour Maddy, il est temps de descendre parler à Dija et surtout d'essayer de trouver ce deuxième corps dans les roches, « si je ne veux pas que ma com foire ! ». Envoi de message vocal (Dij, en voilà une autre qui n'a pas attendu l'extinction du chromosome Y, ha ha, elle en a même arraché les aboutissements organiques.), suivi d'un SMS (sûrement victime = porc & pédo ? Corps d'assassine suicidée = disparue, mystère, vachement embêtant pour la suite Dij. Comme d'hab, RDV au parking derrière, chui venue en *500 Bandy*. Avant cela, rencart de suite à l'Accueil comme si… A et S y seront avant moi. À brusquement jeune fille !) Dija répond au SMS (A & S ici déjà, air très nerveux)… *(Un temps. Long.)*

Dija Elzoada et Maddy Ajavon sont près d'une moto rouge. Maddy l'enfourche et pose son casque noir sens dessus dessous devant elle, en le coinçant contre le réservoir. Dija y voit des gants noirs. Elle remarque aussi que les baskets rouge et noir de son amie lui arrivent au ras des mollets et sont des collectors. Des *Air Jordan*, conclut-elle.

« Le buzz devra en crisper plus d'un mâle en train de faire *naka sudul nòonu,* ou bien ?

— À ton avis, éditrice coriace *(roulement d'yeux et rire plein la voix)* ? Quiconque a fait ce couper-décoller-sur-mâle voulait clairement s'assurer d'éradiquer toute chance de remettre le concerné sur pied. Il y a comme un air de vengeance dans cet acte sans doute prémédité. Mais bon, on ne va pas se plaindre d'un porc en moins, hein, Dij ?

— Peut-être pas. Mais il serait judicieux de se demander ce qu'elle aura gagné en s'en débarrassant pour de bon, je veux dire, de la sorte : n'est-ce pas contradictoire ?

— Quand on est dans une lutte contre le patriarcat, toute victoire est à prendre. Celle d'aujourd'hui en est une de vraie et nous aurions tort de ne pas la prendre comme telle.

— Pardon, grande sœur, mais des fois je me demande ce que *Féministyque* veut vraiment. Même si ce qui m'importe avant tout, c'est mon journalisme d'enquête. Et cela va sans dire que je te suis reconnaissante pour chaque tuyau que tu me files *(sourire aimant)*.

— Dij, *Féministyque* est le bébé de quelqu'une jadis aveuglée par sa haine de certains hommes. Elle est parvenue à transcender ces hommes-là, conceptuellement parlant, partout sur cette planète. En même temps, ceux d'entre les hommes qu'elle choisit – désormais, elle sait bien les trier – lui procurent un plaisir, platonique ou romantique, spirituel ou charnel, qui la rend optimiste dans sa radicalité politique (radicalité qui est aussi personnelle). Elle pourrait même pousser l'argument plus loin : ce plaisir qui lui est procuré par certains mâles est inégalable ; dans son monde, le bon pilon du bon mâle, peau et sang chauds, chair épaisse, ce pilon-là, qui pique son cœur, tel Claude sa Caroline, n'a pas de procureur substitut *(rires, de Dija et Maddy)*.

— Si tu le dis. Toutefois, il y a encore du boulot à faire par rapport à ta haine des hommes : point de vue d'amie. Enfin, sache que je n'imprimerai pas tout ce que tu viens de me dire sur les pilons…

— Trouillarde, Dija Elzoada, dégonflée *(rire)* ! Fais comme bon te semble, chère amie. Il faut que j'y aille. J'ai du pain sur la planche. *(Dija hoche la tête, pendant que Maddy enfile casque et gants.)* Il faut que je sache ce qui s'est vraiment passé au septième étage de

Choupinette aujourd'hui. Ce deuxième corps que l'on a du mal à trouver me turlupine : *it's a real pain in the arse* Dij, n'est-ce pas ?

— Je ne l'aurais pas dit comme cela, mais, oui, c'est quand même embêtant. On se recapte au téléphone demain ?

— Oui. *Ciao, bella, ciao* ! » Dija lui rend la politesse.

En un flash, Maddy disparaît au-delà du sommet de la colline menant à la corniche. Dija soupire et bip-bip sa *Jeep Cherokee* : sa journée est loin d'être terminée… »

Najma

« Chambre de clinique huppée de la capitale. Septième étage. Un homme alité, mourant et qui n'a plus que ses gros yeux ronds pour s'exprimer. Des jours durant, il a insisté auprès de sa femme, en gémissant, en pleurant et la suppliant de faire en sorte que je vienne lui rendre visite. Elle seule put comprendre ses bourdonnements gutturaux, ses râles de porc, ses zézaiements, le son de sa langue que l'on aurait dite collée, tour à tour, à ses dents et joues, langue qui semblait l'empêcher d'articuler, tout en le faisant baver en quasi-permanence. Depuis son accident, sa bouche peine à se refermer, me dit son épouse dès qu'elle ouvrit la porte de la chambre à la hâte et me tira par la main vers le lit de son mari endormi. Au crépuscule du troisième jour de geignes – “Nadjyiiymaa, je veux voir Nadjyiim-aaah !” –, n'en pouvant plus, elle remua ciel et terre pour me traquer dans cette presqu'île-capitale populeuse, me chuchota-t-elle. Certaine de pouvoir me retrouver par le biais de son grand réseau, elle était beaucoup moins sûre que je voulais revoir sa tête. Après tout elle m'a tant répugné, dès les premiers regards échangés avant mon sixième anniversaire, il y a si longtemps. Raison pour laquelle elle fit jouer ses relations, filiales et professionnelles, afin de me localiser et de me faire venir au chevet de son mari. Ensuite, elle s'assura que sa messagère ne serait nulle autre que la seule personne en qui j'avais entièrement confiance, Jèekk Tanŋkk, ma chère grand-tante maternelle. En effet, Jèekk l'affable, la sincère et l'infatigable soudeuse de liens familiaux, visage et sourire burinés par la centenaire proche, s'est traînée jusqu'à mon lieu de travail, avec l'aide d'une canne et d'un chauffeur. Grande fut ma surprise, massive fut mon émotion…

Me voilà, donc, dans cette chambre rose, couleur fétiche de madame. À peine mes cinq sens ont-ils fini de s'imprégner de sa topographie que madame semble me faire tant confiance qu'elle décide d'aller prendre une douche, dans la chambre même. Puis confiance vraisemblablement doublée, vêtue d'un haut et d'une jupe chics, rose et noire respectivement, elle descend en claquettes roses prendre du thé à la cafeteria du rez-de-chaussée où, en l'espace de cinq semaines, elle a pris des habitudes, encouragée par deux bimbos, fortunées comme elle, venues en clinique pour veiller, qui sur un mari cancéreux, qui sur un fils aîné toxico. En d'autres termes, madame, sourire figé, décide de me laisser seule avec son homme. Mais aussitôt referme-t-elle la porte derrière elle que tous mes sens se réveillent et s'éveillent, que je sens une crainte m'envahir, puis un sentiment de peur soudain, de tout et de rien, une peur de tenir ou craquer : je suis seule avec un homme, je me retrouve seule face à CET homme… »

Pause : une voix autre.

Crainte et peur semblent habiter Najma depuis toujours. À peine sevrée qu'elle fut arrachée à l'affection de sa mère, pour être confiée à une femme de vingt-cinq ans son aînée, qui venait de se marier. Cruel, pourrait-on penser à juste titre, même si une telle rupture filiale fut faite au nom d'une tradition centenaire ou millénaire. Et par amour. Mais l'amour, l'affection et la bonne intention peuvent s'avérer hautement ridicules. Ils peuvent conduire à des erreurs récurrentes, graves, qui nous feraient oublier que les non-acquis de l'enfance nous marquent à jamais. Ou que les traumatismes de la tendre enfance affectent profondément notre vie d'adulte. Tout un catalogue. À ne pas feuilleter. Si seulement l'on savait. Bizarre que jamais ne pensons-nous « traumatisme » avant de confier, d'offrir un être humain à un autre être humain pour l'éducation du premier ? Eh oui, c'est de traumatisme qu'il s'agit ici, nous ne sommes point en train de généraliser. L'enfant est en effet sujet à et susceptible d'être affecté par des traumatismes qui ne cessent de sévir en lui tant qu'il n'aura pas été adéquatement accompagné ; les traumatismes qui envahissent le corps et l'esprit de l'enfant n'en ressortent jamais, du moins pas entièrement, car ils continuent de l'accabler *ad vitam aeternam*. Tout un catalogue de traumatismes, disions-nous ; un gros catalogue, ajouterions-nous.

La petite Najma arriva en ville, d'une bourgade semi-rurale. Assad, son père, qui l'y avait donnée, ne semblait pouvoir anticiper autre chose qu'amour et affection venir du couple récipiendaire, pour aller vers sa fille de moins de cinq ans qu'il leur confiait pour l'éternité. Contre le gré d'une mère qui n'avait pas bronché, car la convention traditionnelle voulait que la femme ne discutât pas les décisions du mari. Que ce dernier se devait d'être ferme. Que c'était lui le décideur et boss. N'empêche que si l'on sait que le couple en lequel Assad place sa confiance, en leur offrant un être humain, est à cinquante pour cent composé de sa propre fille, Aaliya, l'on pourrait lui pardonner d'avoir pensé que tout allait baigner, même si, six années auparavant, Assad avait déjà tenté une expérience similaire qui s'était soldée par un échec ? Il semble certain que dans le cas présent, Assad qui tente à nouveau de ne pas assumer ses responsabilités parentales, aucune exception existe qui pourrait confirmer une quelconque règle. La seule certitude est que la victime de la première expérience ratée d'Assad n'est nulle autre qu'Aaliya, nouvelle tutrice de la petite Najma ; manu militari, Assad avait dû ramener Aaliya chez lui, après une visite inopinée chez qui de droit où il avait vu sa fille dans un piteux état, visiblement maltraitée, sale, jambes couvertes de plaies assaillies par les mouches, etc. ; et pourtant il l'y avait crue aimée, traitée avec respect, si ce n'est choyée, en train d'apprendre les rudiments du comment devenir une femme, selon les valeurs et normes de la tradition ancestrale du bled, tout en étant éduquée, instruite, tant au sein de la *madraasaa* locale que de l'école primaire occidentale ; mais à la grande surprise du père, la récipiendaire actuelle de Najma était une enfant misérable, sûrement traumatisée à vie. Alors pourquoi Assad remettait-il cela quelques décennies plus tard avec Aaliya, sa fille aînée, en lui donnant Najma, geste qui pouvait réveiller de très mauvais souvenirs en elle ? D'autant plus qu'Assad n'avait pas pris le soin de demander à Aaliya et à son mari *(qui se trouve être le cousin germain de ses filles)* s'ils voulaient de la petite Najma chez eux – il la leur imposa tout simplement. Bref, du jour au lendemain, Aaliya et Arif se retrouvèrent avec Najma sur les bras, en se demandant sûrement ce qu'allait être la suite, ce qu'ils allaient faire avec/de cet enfant, encombrant vu qu'ils comptaient faire les leurs propres. Silencieux, le couple s'interrogeait sans doute sur ce dont « le vieux » Assad aurait eu besoin pour enfin comprendre, oh combien il est futile et dangereux d'offrir son enfant biologique à autrui, qui plus est, pour toujours ! énigme, frustration et colère restèrent leurs seules réponses, jadis et pour toujours…

C'est ainsi que l'arrivée de Najma en ville se fit dans d'extraordinaires conditions. Première nuit dans sa nouvelle demeure : mots durs, cris, gifles, larmes de séparation forcée *(sa mère, ses frères et sœurs avaient également pleuré)* suivies d'autres plus chaudes, provoquées par les bruits cauchemardesques qui l'envahirent subitement et violemment. Najma eut froid. Najma eut peur. Des pensées éparses, mais denses, tourbillonnèrent dans sa tête ; sa mère, ses jouets, ses frères, l'atmosphère ludique à la concession familiale et au patelin lui manquèrent douloureusement, jusqu'à ce que Morphée parvînt à lui fournir un répit, tant bien que mal. Demain s'annonçait difficile. Un gros catalogue de traumatismes venait ainsi d'émerger sous la houlette de l'abandon, de l'inconnu et de la violence filiale. Du reste, toute nouvelle situation toxique vécue chez Aaliya et Arif pouvait potentiellement faire naître en Najma un enchevêtrement de nouveaux traumatismes. Et si à l'âge de 24 ans cette dernière avait fait le bilan de sa vie chez eux, peur, trahison, promesses non tenues, rejet, injustice et humiliation y auraient eu une place prépondérante ; « *your parents can fuck you up, you know?* » a une fois déclaré le musicien et acteur anglais David Bowie dans un entretien télévisé, déclaration qui sied bien à la petite Najma, vraisemblablement détruite à outrance par ses parents, quand bien même par le biais de sa grande demi-sœur, elle-même sûrement aigrie par son enfance démesurément malheureuse, car traumatisante, enfance pourrie par les mêmes parents. Aaliya semble s'être vengée sur Najma, indirectement, mais de façon cruelle et destructive.

En effet, quadragénaire de nos jours, dans cette chambre de clinique, Najma donne l'impression d'être une épave chic *(regard de défoncée sous tonne de maquillage raffiné, demi-sourires figés, petites lèvres tremblotantes, etc.)*, elle paraît incarner l'ombre antipodique de ce qu'elle aurait pu devenir, de ce qu'elle aurait pu vouloir incarner, même si elle a quand même quelques qualités. Najma a bon cœur quand cela l'arrange, par exemple ; elle est également bonne conseillère, prenant soin de bien expliquer le bon côté des choses, voulant du bien pour l'ami(e) ainsi que pour le frère et la sœur (de sang ou par alliance) qui nourrissent son égocentrisme, même si, pour être juste à son égard, Najma Abdallah est toujours prête à bondir au secours du nécessiteux ou de la petite personne du moment. Néanmoins, elle croit tout savoir, ou presque, question d'attitude et de langage corporel ; sa voix lente et doucette cache une arrogance du « je sais déjà ! », combinée à du « parce que je suis si géniale, je peux régler les problèmes de tout le monde : il suffit de demander ! » ; en même temps, bizarrement, dès qu'il s'agit d'elle-même, de sa propre personne, toutes notions de développement personnel et/ou d'intelligence émotionnelle disparaissent : vérité au-delà et vérité en deçà semblent prendre le dessus pour, finalement, constituer sa rigide devise. Cela dit peut-être bien qu'après sa traversée d'épreuves destructrices qui enfouirent en Najma des traumatismes éternels, cette dernière ne pouvait plus être une personne normale ?

Toujours est-il que de nos jours, Najma détruit et se détruit ; elle n'est pas guérie de son enfance, pour être plus précis ; elle vit selon la boussole que lui aura tendue la vie, façon de parler parce que de vie elle n'aura eu que ce que trois individus identifiables semblent lui avoir imposé : une existence détruite. Autour d'elle, d'autres personnes, principalement sa fratrie tenue à l'écart et Jèekk Tàanŋk, ont essayé de ramasser les pots cassés vingt ans après les faits. Sans succès l'on dirait, parce qu'ils ont cru devoir la combler d'amour, rattraper un temps jugé perdu et lui dire qu'ils sont là pour elle, attitude on ne peut plus naturelle, après tout, si ce n'était que la-jadis-petite-fille-Najma est passée par des épreuves qui ne leur ont été jamais connues. Pendant des années, la partie de la fratrie à peine plus âgée ne pouvait même pas reconnaître Najma, notamment parce qu'elle était très jeune au moment de sa déportation. De plus, Najma s'était vu interdire, par Aaliya et Arif, de retour à son bled semi-rural et désertique, encore moins à la concession parentale. Ainsi Najma et sa fratrie ne se connaissaient-ils plus de visu à un moment donné. Vers 7 ans, le frère qui lui avait été le plus proche, Yasin, en visite chez Arif avec Jèekk, avait pris Najma pour une domestique : elle était mal habillée, à la limite de la propreté et avait une mine timorée, comparée à l'exubérance et la gaieté insolentes de ses neveux et nièces pour qui, en effet, Najma était bonne à tout faire, aussi dévaluée qu'une monnaie de pays mal parti, une bête de somme taillable et corvéable à merci. Le peu de matériel qu'Aaliya et Arif lui donnaient – habillement, fournitures scolaires, gadgets – ne lui était d'aucune utilité notable ; d'ailleurs, il était toujours de qualité inférieure à celui de ses nièces et neveux, mais elle s'en moquait éperdument, les utilisait de la même manière que ses goûters d'école, c'est-à-dire, pour se faire des amies. Cette habitude la définit encore aujourd'hui, y compris en milieu professionnel (elle est employée subalterne, au service clientèle d'une agence de tourisme) : *your parents can fuck you up, you know ?!* Bowie n'avait pas tort…

Au moment où Najma, adolescente, commença à se rebeller contre sa récipiendaire en cheffe, Aaliya, le mal avait été déjà fait. Petite fille était devenue une domestique avérée, à la fois de sa demi-grande sœur et des collègues de travail de cette dernière. En ce temps-là il suffisait qu'elles eussent un évènement nécessitant de la cuisine en grosse quantité pour qu'Aaliya dît s'en charger et, à tous les coups, déversât tout le poids du labeur résultant sur la petite Najma. Le verbe et la main de demi-grande sœur Aaliya étaient menaçants, sans pitié, il fallait s'exécuter sans broncher, il fallait s'occuper des neveux et nièces – douche, habillage, devoirs et baby-sitting – avant que Najma pût enfin aspirer à s'occuper d'elle-même, ce qu'elle fit très mal parce que toujours épuisée à ce stade, nuit et jour, pendant plus de quinze ans. Ces enfants-là ont grandi et réussi. Les uns mieux que les autres, le plus jeune ne s'étant pas remis de l'absence non annoncée de sa gentille et dévouée nounou. Leur mère haïe encore Najma, d'une haine injustifiable vu que rien dans tout ce scénario bancal n'avait été de la faute d'une petite fille arrachée à l'affection de sa mère. La plaie est restée ouverte. Najma dit s'en moquer. Toutefois, elle se surprend à répéter, à la frange de la fratrie qui veut bien l'entendre, que jamais Aaliya ne l'aimera ; Najma souffre du degré de dédain et d'abandon haineux dont elle a été victime, de l'enfance à l'âge adulte, quand bien même cela aura contribué à faire d'elle la femme qu'elle est devenue, après l'avoir jeté dans la gueule d'un monstre.

Arif avait un physique d'Hercule, que Najma allait idéaliser de l'enfance à l'âge adulte. Dans sa grande maison, une prison dorée, Arif (surnommons-le « Colosse ») régnait en mâle dominant, en maître absolu, y compris sur la petite fille aux belles pommettes saillantes façon *khoï-khoï*, Najma, dont la petite de taille et les hanches étroites cachaient mal la précocité sexuelle de son corps d'enfant à poitrine déjà fournie ; cela aurait dû inquiéter tout observateur attentif, dans l'entourage de la petite Najma, vu que son corps semblait avoir brûlé toutes les étapes menant à l'adolescence alors même que Najma était encore enfant dans sa tête et à travers son langage corporel. Depuis toute petite, Najma aimait souvent dire que Colosse était très gentil avec elle. Jusqu'à ce que (le) lapsus *(devenu une raison, un correcteur pour Najma)* ait eu le meilleur d'elle. En effet durant les moments de délire de Najma lapsus la poussa à laisser entrevoir que Colosse était allé au-delà de l'admiration, plus loin que l'appréciation à distance de son corps d'enfant. Aujourd'hui, Najma déteste encore deux parties de ce corps, une répugnance émanant d'abus sexuels subis durant son enfance, toujours selon lapsus. Son agresseur sexuel *(à savoir Colosse, qui est son cousin, rappelons-le)* lui faisait utiliser une partie pour le faire jouir et une autre pour recueillir sa semence. Il n'est ainsi point surprenant qu'aujourd'hui, en plus de ne pouvoir supporter une quelconque substance blanchâtre et onctueuse sur ou dans son corps, Najma ne puisse regarder ni l'une ni l'autre partie corporelle. Elle aurait préféré en être amputée, mettre fin à sa vie. D'autant plus qu'Arif lui avait progressivement fait accepter l'idée de jouir encore plus si elle le laissait lui ouvrir la voie « gentiment, tendrement, graduellement, mieux que tout homme que tu pourras rencontrer dans le futur. Ce sera notre secret parce que nous nous aimons en secret, OK ? OK. » En somme aux alentours du huitième anniversaire de Najma, Colosse commença progressivement à la pénétrer. Par derrière puis par devant. Moyennant des gâteries adaptées à ses âges et envies du moment. Jusqu'à ses 14 ans, un tournant dans la vie sexuelle de Najma l'objet sexuel d'Arif.

En effet à 14 ans, durant un acte d'agression sexuelle donné, acte d'où elle semblait de plus en plus absente, Najma se surprenait, paradoxalement, à désirer Colosse davantage. Elle se surprenait à sourire rien qu'en pensant que, aussi gros que le membre d'Arif pût être, ses orifices savaient l'accueillir et tenir la distance, qu'ils pouvaient désormais absorber ses assauts sans douleur – même si Arif la tournait et retournait aussi fréquemment et brusquement que le serait un burger sur une plancha de fast food surutilisée. À 2 h du matin, dans les toilettes du rez-de-chaussée, sur la banquette arrière de la voiture de Colosse, à la plage, tôt le dimanche matin, ou encore lors de siestes coquines dans le lit conjugal d'une Aaliya en voyage.

Toutefois, après l'acte d'agression sexuelle, plus aucun souvenir. Najma oubliait tout, tellement elle avait bien appris à se dissocier de l'acte d'inceste au moment même où il avait lieu. Et longtemps après cette expérience traumatique que fut son enfance, surtout son enfance, Najma sut continuer d'appliquer une telle dissociation, qui n'est pas (toujours) positive vu qu'elle implique la question du savoir si et comment pardonner un tel degré d'abus sexuel incestueux. Qui plus est aux environs du quinzième anniversaire de Najma, son corps voluptueux commença à attirer les garçons, mais aussi des hommes plus ou moins âgés que Colosse ; il fallut alors que Najma repoussât, gérât, aimât en cachette parfois. Au même moment commença, contre sa demi-grande sœur, sa révolte, silencieuse et attelée à un langage corporel explicitement rebelle. Une révolte qui surprit Arif, le fit graduellement reculer, le rendit méfiant, jusqu'à la rupture totale entre femme et Najma, cette dernière se sentant rejetée, trahie par un homme qu'elle avait longtemps cru parfait. Mais enfin lorsque Najma disparut du radar d'Aaliya et d'Arif, la possibilité d'un pardon resta longtemps pendue au-dessus de leurs trois têtes dysfonctionnelles comme une épée de Damoclès…

Pouvoir pardonner ne rime pas toujours avec être en mesure d'oublier. Le corps a une très vive mémoire et la soi-disant gentillesse d'un abuseur n'en enlève rien du tout : au contraire ! Par des Colosses, la petite Najma devenue adulte a choisi de se faire prendre régulièrement, quatre spécimens en six ans, sans compter les rencontres d'une ou deux soirées, et le tour est presque joué. « Presque joué » parce que, malgré les traumatismes d'un corps meurtri par des positions sexuelles extrêmes, malgré des hommes et membres trop grands pour ce corps sexuellement rodé, mais resté petit par rapport à la carrure d'hommes qu'elle plébiscite, Najma en redemande. Aussi s'excuse-t-elle presque d'être tombée, au crépuscule de la quarantaine, sur un homme qui ne fait ni la taille ni le poids de ses sept ex. Car au sommet de sa gloire charnel-corporel, six à sept fois par nuit, Najma pouvait tenir la dragée haute à un mastodonte beaucoup plus baraquée que son huitième partenaire sexuel. C'est du moins ce qu'a dit Lapsus lors de son irruption dans une conversation détendue que Najma eut avec Saada Ould Arek, sa seule amie d'enfance.

Najma est aujourd'hui incapable de contrôler ses pulsions. Et tout cela est parti de beau-frère Colosse, un pervers qui la violait pour se venger de sa femme qui, elle, le privait souvent de sexe en prétextant qu'Arif était un obsédé. Colosse était un pédophile jusque-là insoupçonné qui, ayant flairé qu'Aaliya dévaluait outrageusement sa propre petite demi-sœur, se vit ainsi offrir l'opportunité inespérée d'explorer ce beau petit corps, précoce et disponible, d'enfant qui n'allait pas oser parler. En tout cas, l'adulte Najma n'a plus jamais pu être rassasiée de sexe. Elle veut et peut se faire prendre dans n'importe quelle position, afin d'aller cueillir cette extase sexuelle qui, par nature, est addictive. Quitte à marcher péniblement l'heure d'après, en se plaignant moqueusement de son sexe qui vibre trois heures après chacune de ces sessions torrides qu'elle affectionne. Belle époque d'une traumatisée non soignée, aujourd'hui révolue, ou est-ce la capacité de Najma à se dissocier de l'acte d'inceste au moment où il se passait qui lui aurait fait défaut ? D'autant plus que son homme-micron du moment, le huitième, sans virilité mal placée, ne comprend pas pourquoi, deux fois sur trois, il ne peut entrer délicatement en elle sans qu'elle ne gémisse ou crie de douleurs, complaintes qui s'élèvent également dès que les hanches, genoux, chevilles, dos et cou de Najma auront été un tant soit peu sollicités même si, sous le feu de l'action, au lit ou ailleurs, gémissant de douleur, elle lui ordonne agressivement de continuer : « Montre-moi que t'es un homme et que t'as pas peur de ce petit corps ! » Lui s'en veut. Il pense sincèrement être un profiteur et, par là même, tue sa propre libido à petit feu. Cet homme ment à Najma comme une femme prétendant jouir de l'éjaculation hyperprécoce de son partenaire. Faire l'amour avec Najma, l'adulte presque quinquagénaire, est une corvée rendue encore plus ardue par le fait qu'elle dit ne pouvoir jouir que lorsqu'on la suce de longues minutes, tout en lui pressant la poitrine à fond. Son homme-micron a eu assez de tout cela. Il l'a récemment quittée, sans crier gare. Najma le traite d'imbécile, auprès de Saada et de la frange compatissante de sa fratrie ; elle dit ne pas comprendre pourquoi micron Abédi a détruit la relation stable qu'elle lui offrait, le bon couple qu'ils formaient. Saada et ladite fratrie connaissent bien Najma, qui semble l'oublier parfois ; tous s'accordent à penser qu'Abédi aurait dû la quitter depuis longtemps, qu'il n'avait pas les outils nécessaires pour percevoir adéquatement la boule de nerfs à personnalité traumatisée qu'était Najma…

Elle est égoïste. Parce que dans sa prison dorée, il se pourrait que tout lui était donné à contrecœur avec, en prime, l'attente d'une contrepartie. Même ce que Najma s'achetait, et cachait souvent, ne lui appartenait pas vraiment, vu que l'argent venait de Colosse en fin de compte. Et cette situation perdura jusqu'aux 23 ans de la cousine-boniche-objet sexuel. En effet durant son enfance on lui donnait tout pour que le paraître et la bonne réputation de sa famille d'asile restèrent superbe, intacte, superbement intacte, aux yeux des voisins et qui d'autre de droit. Mais bien sûr, nous le rappelons, Najma recevait des articles de moindre qualité, comparés à ceux de ses neveux et nièces dont elle s'occupait jour après jour, tout au long de l'année : après tout, elle était leur bonne, leur servante, répétons-le. Elle n'avait rien eu qui fut vraiment à elle. Et lorsqu'après avoir fugué de chez Arif pour de bon elle commença à acquérir du matériel, Najma devint très regardante. Sur tout. Une peur bleue de (re)tomber dans la précarité s'empara d'elle. Une frousse de partager l'envahit. Partager des choses aussi bénignes que du bain de bouche : « T'en prends trop, je trouve ! » a-t-elle dit à un amant ou mari invité à partager son appartement *(Najma soutient avoir des trous de mémoire fréquents).* Mais enfin du bain de bouche ? N'est-ce pas le summum du ridicule ? Non, il s'agirait plutôt d'un symptôme, d'une trace de traumatisme non traité, d'une peur irrationnelle, d'un délire du c'est à moi et je ne veux pas retomber dans la précarité.

« OK, primo je n'en prends pas trop, deuxio ce n'est que du bain de bouche, toujours bon marché et je l'ai payé moi-même, punaise ! As-tu vu la taille de ta bouche, Najma ?

— Oh !

— Oui, oh, Najma, tu peux le dire, oh, pffuitt, oh, débile ! »

L'on imagine une embrouille de la sorte avoir eue lieu facilement, si l'homme a le sang aussi chaud que son hôte boule de nerfs. Bref.

Au-delà de la précarité, c'est à croire que la petite fille, devenue adulte, veut tout pour elle toute seule. Surtout son logis. Lui rendre visite et y rester quelque temps est OK pour elle. Mais lorsque l'on s'incruste, quand bien même sur invitation, la maniaque en elle émerge. Elle change tout de place, tout le temps, elle vous fait vous sentir à l'étroit. Très imprévisible, elle fait ce que bon lui semble : probablement une séquelle de sa rébellion contre Aaliya, chez Arif le Colosse. Toujours est-il que curieusement, ou non, Najma veut que les hommes lui offrent du matériel, qu'ils contribuent du solide, du palpable.

« Peux-tu m'acheter une bague ? J'aurais besoin d'un barbecue, tu sais le modèle qui a un couvercle et, oh, j'avais juste acheté le clic-clac que tu vois là en attendant *(c'est du toc, en effet !)*, il me faut maintenant un vrai sofa, d'ailleurs je jetterai tous mes meubles et les remplacerai par les nouveaux et plus adaptés que tu m'offriras, *wallaahi* quand j'étais au sommet de ma gloire de jeune femme sexy *(elle pointe ses deux pouces vers sa poitrine)* les hommes bavaient devant moi, ils se pliaient à ma volonté, j'obtenais ce que je voulais d'eux, un de mes ex-maris me donnait sa carte de crédit et ne regardait jamais les reçus : c'est plutôt moi qui choisissais de lui dire ce que je dépensais », et bla bla bla…

Lorsque l'on dit tout ce qui précède à un nouveau conjoint, un nouvel homme avec qui l'on couche, amant ou époux, l'on est aussi en train de lui dire ce que l'on veut voir se perpétuer. Et quand ce nouvel amant ou mari n'obtempère pas, s'il désire voir une certaine transparence dans les finances du couple, du foyer, cela pose tout de suite problème. Ce n'est qu'une question de temps avant que le clash ne se produise parce que Nijma est opaque. Qui plus est, elle veut être aux commandes. Elle veut mener ses hommes par le bout du nez, et de la queue. Sans exception. Ce qui crée des ennuis, dirions-nous, vu que tous ne peuvent être logés à la même enseigne.

En même temps, Najma oublie un trait qui l'habite, j'ai nommé le plus saillant chez les gens peu intelligents : se croire toujours plus futé.e que tout le monde. Traumatisée, elle l'est. Intelligente, elle l'est jusqu'à un certain point : d'être lucide en conseillant autrui sur comment régler et vivre sa vie, y compris son ménage, sans pour autant savoir appliquer la même chose à sa propre personne et sa propre vie, signifie autre chose qu'être intelligente. De même si toute son intelligence est utilisée pour se servir d'autrui, cela deviendra futile, cela ne réussira que pour un nombre limité de fois, dans le temps et dans l'espace. Le fait d'être plus âgée qu'un(e) autre ne confère pas toujours davantage de sagesse. Elle est dure, catégorique, sérieuse et admet difficilement ses erreurs, dit-on de Najma devenue adulte : essayez juste de lui dire que son usage de « désolé » comme synonyme de « contrarié » n'est pas le bon et vous verrez…

L'on ne connaît véritablement une personne qu'après avoir longuement vécu avec elle sous un même toit, avait l'habitude de dire la grand-mère maternelle dont Najma n'avait que de vagues souvenirs. De la sorte, plus d'un des hommes qui ont partagé sa vie ont pu voir que la jeune Najma devenue adulte a des besoins et exigences d'une enfant de 6-8 ans. Qu'elle pique des crises. Qu'elle peut trop facilement se faire avoir par une fausse affection *(toujours vraie, à ses yeux)*. Par un faux sentiment d'amour. Par une prétendue attention exercée à son égard et agrémentée d'un ou deux achats, du genre lit *king size* ou sofa en cuir. Et là, le tour est vraiment joué : elle va en parler parce qu'elle ne peut tenir sa langue. En plus, elle ne sait jamais quoi dire à qui, quand ou dans quelles proportions. Tout s'entremêle dans la tête de jeune Najma devenue adulte. Mais elle n'en passe pas moins de temps au téléphone – avec les amies et familles de ses ex, avec sa propre famille, ou encore avec ses compagnons et compagnes de ragot, activité qu'elle affectionne.

Ensuite vient la télévision qu'elle regarde de manière désordonnée, sauf pour le journal télévisé, avec une préférence démesurée pour les programmes sur les femmes tueuses, les crimes passionnels, les affaires criminelles non résolues et mettant en scène des tueurs en série – un rosaire ou chapelet de meurtres qu'elle égrène en boucle. Mais enfin, rendons à Najma ce qui appartient à Najma : via *YouTube,* elle dévore les pièces de théâtre télévisées en vogue dans son pays, sur la côte est du Continent, celles dont les histoires parlent d'infidélité, de corruption et de meurtre étant ses favorites. Aussi Najma regarde-t-elle, de temps en temps, des programmes religieux. Question d'en apprendre sur les pratiques et enseignements de sa religion, dit-elle, mais, même là, elle ne peut s'empêcher de se suffire à elle-même. Lorsqu'elle interprète pour son entourage ce qu'elle aurait appris des imams et exégètes, beaucoup se perdent en chemin. En effet, EGO et ID causent beaucoup de tort à cette dame. Elle donne l'impression de n'avoir aucune trace de SUPER EGO en elle. C'est ainsi que Najma a divorcé et s'est remariée plusieurs fois, mais elle ne semble pas en avoir tiré de leçon. Peut-elle continuer de photocopier son cœur et de le distribuer aux hommes ? Peut-elle encore se permettre de considérer le mariage comme un business ou une arnaque, les hommes comme des vaches laitières et le sexe à outrance comme la norme ? Peut-elle continuer de voler les maris d'autrui *(des mâles adultères par consentement, bien sûr)*, en les épousant avant même qu'ils n'aient divorcé de leurs femmes, pour ensuite les accuser, sans preuve, de vouloir la quitter de la même façon qu'ils étaient entrés dans sa vie ? Selon lapsus, elle répondrait oui à toutes ces interrogations…

Pour rassurer la Najma traumatisée, il faut donc acheter, faire l'amour, se soumettre, savoir suivre son inconstance et ses sottes d'humeur à elle. Il faut tout lui dire de vous, de vos actions, la laisser vous contrôler et vous guider. Accepter qu'elle ne vous dise pas tout. Qu'elle choisisse comment se comporter avec vous *(« avec respect ! » aime-t-elle marteler, alors qu'elle semble ignorer de quoi ce concept retourne pour le commun des mortels)* ; lorsqu'on lui dit « tu me fais suer ! », c'est un manque de respect, non pas parce que le ton est sec, mais du fait que Najma aura compris « chier » à la place de suer. Et pourtant elle a reconnu, et elle fait dire à lapsus, qu'elle-même est énervante. Il s'ensuit que quand l'artillerie respect sort de son armurerie comportementale, c'est que Najma aura déjà décidé de faire la tête à qui de droit – travail, bonjour, je me terre dans ma chambre, je ne touche pas mon homme du moment. À moins de s'excuser, ce dernier ne m'approchera surtout pas. L'un desdits hommes s'est une fois excusé pour le ton élevé de sa voix, lors d'un épisode de suer/chier. Puis la vie reprit son cours jusqu'au prochain malentendu. Najma ne voit que ce qu'elle veut voir ; elle ne prend en considération que ce qui lui convient, car, après tout, c'est elle le centre de l'univers. Najma se prend trop au sérieux, croit que cela est OK ; il se pourrait même qu'elle ne s'en rende pas compte du tout. Pire, pendant qu'elle joue à l'épouse modèle – selon elle, cuisiner, être toujours disponible pour du sexe, faire les yeux doux à l'homme-providence qu'elle prétend aimer –, Najma lui chauffe sa carte bleue sans ciller. Ajoutons-y le fait qu'un homme s'installant dans son appartement doit les prendre en charge (Najma et logis). Parce qu'au fond, « j'ai deux terrains à sécuriser et construire au bled. Il faut que je construise, car je suis en compétition avec d'autres, dans ma fratrie et au-delà, mais, bien sûr, pour rien au monde je ne le reconnaîtrais. Est-ce de l'inconscience ou suis-je juste pathologiquement dysfonctionnelle ? Attendez, non, c'est ma religion qui me donne le droit de disposer de mes biens et de mon argent, pendant que mon mari me prend en charge entièrement. Oui, c'est cela ! ». Oui ? a-t-elle vraiment bien réfléchi à ce qu'elle fait ? se marier pour s'enrichir ? La notion de s'acheter des articles de qualité soi-même lui est-elle si étrangère et bizarre ? Est-ce que tout homme entrant dans sa vie est ce demeuré qui le fera à sa place, pour ensuite se voir provoquer et mis à la porte ? cible-t-elle des hommes qui ne se préoccupent point de possessions matérielles, des hommes qui, elle le sait, ne partiront donc jamais de chez elle en emportant quoi que ce soit ? Dommage que la petite demi-sœur d'Aaliya n'ait point de SUPER EGO…

En revanche, Najma a des personnalités multiples, presque toutes pathologiques, certaines ont déjà surgi dans ce récit ; prise au piège d'une enfance malmenée dont elle ne s'est pas remise, Najma est une euphorique à bon cœur, une économe lorsque cela l'arrange, celle qui ne sait tenir sa langue, mais aussi celle dont la naïveté fait que partout où elle va, de manière récurrente, elle est prise pour une demeurée. Un tel amalgame de paradoxes peut-il, comme le désire Najma, coacher, dominer et exploiter ses amoureux, qui ne sont à ses yeux que des options parmi tant d'autres, vu que Najma garde toujours le contact avec d'autres prétendants ? « De temps en temps, ils m'appellent pour voir comment je vais, ils sont juste gentils, moi aussi, c'est dans ce sens que je leur réponds. » Incroyable, mais vrai, selon lapsus. Son homme du moment, un Bac + 8, Najma l'a pêché en croyant être tombée sur un homme riche et timoré, qui lui donnerait ses cartes bancaires et la laisserait mener leurs affaires de couple à sa guise. Elle a cependant compté sans le fait que le calcul ne tombe pas toujours juste. Et comme cet homme, conjoint à qui elle a promis loyauté et amour, n'obtempère pas lorsqu'elle veut chauffer irresponsablement ses cartes – il ne croit pas aux mondanités vénérées par Najma et ne lui a jamais dévoilé l'état de ses finances –, Mehdi Abdelghani est devenu suspect aux yeux de Najma. Et les prétendants d'avant d'en devenir un tant soit peu plus activés :

« Eux au moins ils ont des emplois et finances stables ; et ils m'aiment !

— Ah ouais ? Ils n'ont sûrement aucune idée de combien tu es fausse et mesquine, à commencer par tes photos de profile sur les réseaux sociaux. Et cela n'est que la partie visible de l'iceberg. Tu es FAKE, FAKE et FAKE ! »

Peu de temps après cette rétorque-tirade, nous a récemment appris lapsus, Abdelghani mit les voiles. Parce qu'un homme qui reste trop longtemps en couple avec Najma risque de la tuer ou de se faire tuer par elle. Guidé par sa non-violence et son principe de quitter toute zone de conflit, potentiel ou avéré, avant que les choses ne dégénèrent, Abdelghani y a échappé, il a échappé à Najma qui, elle, peine encore à échapper à son enfance traumatique…

Seulement, de son enfance l'on ne guérit pas, comme dirait l'autre. Najma en souffre. Encore. Toujours. Elle en a développé une faculté cynique de soupçonner tout et tout le monde. Jusqu'à preuve d'un contraire qu'elle veut toujours déterminer elle-même, (in)consciemment. Le beurre, l'argent du beurre, la crémière, la vache et toute l'herbe broutée, elle les veut. Pis, de cette maladie dont on ne guérit pas, Najma a développé toutes les personnalités multiples évoquées plus haut. Une sorte d'artichaut ou chou à couches pourries. Des comportements somme toute pathologiques. Technique d'évasion, de survie, d'évasion pour survivre ? Il se pourrait que tel fût le cas durant son enfance et son adolescence, mais force est de reconnaître qu'à l'âge adulte tout cela s'est mué en un catalogue de personnalités mensongères. Aussi versatile que le caméléon, Najma est devenu et, à l'extérieur de son cercle intime, aucune possibilité de savoir que petite-Najma-qui-est-restée-petite-Najma-dans-sa-tête est une boule de chair et d'os à l'intelligence malsaine, trompeuse, hypocrite et opportuniste. Elle profite même de ce qui lui est inutile, « l'occasion se présente, alors profitons-en ! », dit-elle souvent. Et lorsque vient le temps de prendre une décision de vie, c'est en anticipant sur des retombées qui lui sont avantageuses qu'elle le fait. Elle a des calculettes partout sur son corps. « Quand les miens m'exhortent à exiger d'un nouveau mari des tests négatifs, pour vérifier qu'il n'a pas de MST, je leur réponds oui, mais n'en fais rien. Je me contente de le regarder droit dans les yeux en lui demandant s'il serait prêt à se soumettre à de tels tests avec moi », a-t-elle une fois raconté à Saada. En fin de compte, Najma a menti aux siens parce qu'aucun test n'a été fait, finit-elle par avouer à Saada, « je le lui ai sucé à outrance et me suis laissé prendre avec délectation, répétitivement et sans protection, pendant près de deux années. » Petite-Najma-qui-est-restée-petite-Najma-dans-sa-tête semble donc être une menteuse convaincue de ne dire que la vérité, toute la vérité et rien que la vérité. Elle se nourrit de la vie des autres, des évènements qui s'y déroulent. Elle le fait avec tant de lucidité que la personne au bout du fil ou en face d'elle se doute peu ou pas que petite-Najma-qui-est-restée-petite-Najma-dans-sa-tête se ment à longueur de journée. Qu'elle se trompe sur sa propre personne. Qu'elle n'applique point, à sa propre vie et à sa propre personne, les conseils qu'elle prodigue à autrui : en fait, elle en est aux antipodes. Rien ne suffit à Najma. Elle en veut toujours plus et trouve que son verre est toujours à moitié vide. Son appartement s'emplit d'articles dont elle-même reconnaît n'avoir pas besoin, et pourtant elle achète, ramasse, achète encore et ramasse davantage. On l'a privée de beaucoup, cette petite qui n'aura pas grandi ou aura mal grandi, au beau milieu d'une forme de gabegie propre à une certaine partie de la population de son pays qui a tendance à souvent acquérir du matériel de luxe, sans savoir-faire ou savoir-vivre. Des clashs de concepts et couleurs et comportements en émanent, mais, n'empêche, il faut en avoir toujours plus. Deux terrains et trois maisons, sucer, pomper, sortilèges, travailler dur, acquérir encore plus, roublardise, t'inquiète, paix et prospérité ! voilà, fin de ma mise au point en tant que voix autre que Najma ; je vous repasse Najma, sachant que je n'exclus pas la possibilité d'intervenir encore dans son récit…

« Donne-moi plus et donne-m'en plus. Si tu veux que je t'aime, montre-moi ton portefeuille. Si tu veux que j'achète une ou deux choses à manger pour nous deux, donne-moi la preuve que tu seras payé, que malgré le retard ta paie arrivera dans quelques jours. Il faut que j'en profite, oui, et tu pourras labourer mon champ intime encore plus, je prie et vénère Dieu également par ce process de labourage. Et aussi longtemps que tu me prendras en charge, que tu achèteras ma bouffe, que tu paieras mon Internet et mes factures d'eau et d'électricité sans être regardant – ce qui me permettra de détourner une partie de ton argent, d'élever des murs sur mes terrains, de les consolider, d'avancer pour atteindre des objectifs qui ne t'incluent pas du tout, même si je te fais croire qu'ils sont communs –, aussi longtemps que tu feras tout cela, toi, nième conjoint, je serai à toi corps et… corps. Car corps et âme ne le font pas pour moi, je prétends juste que mon âme t'est dévouée autant que mon corps en dégénérescence progressive et irrémédiable, corps que j'ai détruit en me soumettant volontiers à des relations sexuelles intenses, avec des hommes qui faisaient deux fois mon poids. J'ai toujours eu une préférence pour les grands à membre balaise. Les gros aussi. Mon petit corps peut tous les prendre. J'ai commencé tôt, j'ai pratiqué, j'ai de l'expérience. Aussi longtemps que tu me laisseras te duper, cher conjoint, mon corps t'appartiendra, alors même que je continuerai de photocopier mon cœur et le distribuer à d'autres prétendants. Parce que l'on ne sait jamais…

Moi, Najma, je ne sais pas tenir ma langue. Lorsque l'on me parle en toute confidence, je promets de ne rien révéler. » Et pourtant, à la toute première occasion, prête à mordre telle une vipère dressée par Asif, personnage ignoble du roman *Le Devoir de violence*, particulièrement astucieux dans son ignominie, Najma déploie sa langue fourchue, sa langue visqueuse, sa langue bien aiguisée et coupante, sa mauvaise langue.

« En fait, je ne la retiens momentanément que lorsque je flaire un intérêt, un espoir de gain quelconque, pour ensuite la redéployer à faire des éloges, jeter des fleurs, dire des paroles que des gens ciblées veulent entendre. L'on aurait dit une griotte corrompue, mais n'en soyez pas surpris.e, car c'est le prix à payer pour rester la conseillère parfaite que je suis. Les dommages collatéraux, que j'assume, sont que je me mens et j'ai une faculté extraordinaire à déployer mon intelligence pour utiliser autrui, pour en tirer profit : bons meubles, aménagement de mon logis, voiture, habillement cher et j'en passe… Je n'ai aucun scrupule à faire tout cela parce que je n'ai jamais rien eu, pendant trop longtemps. Pourquoi donc, chère Saada, depuis mon émancipation des griffes de cette prédatrice d'Aaliya, ne dois-je pas enfin avoir ce que je veux, par tous les moyens nécessaires ? Ce n'est pas méchant, je donne un peu pour m'attirer des faveurs. Même si à l'âge adulte ma technique pourrait être vue comme cynique et prenant tout le monde autour de moi pour acquis. Même si mes personnalités multiples *(et mon bon cœur, ne l'oublions pas !)* manipulent, montent les un.e.s contre les autres sans en avoir l'air, toujours pour en tirer profit. Quoi, ne vais-je jamais l'admettre ? Mais il n'y a rien à admettre, chère amie, c'est Dieu qui m'a voulu ainsi, prie pour moi : Amen ! Avec ta bouche bée et tes yeux exorbités d'étonnement, Saada, je sais que tu ne me reconnais pas. Pourtant au moment où tu me disais au revoir pour rejoindre ton mari, Hamid, à Dubaï, tu m'estimais bien remise de mon enfance traumatisée, n'est-ce pas ? Eh bien dix ans plus tard, à travers ce *mea culpa* en cours, presque non intentionnel, je te prie de bien croire en ma guérison ; il n'y a pas péril en la demeure…

Toutefois, je me mens, Saada. Je dis la vérité à autrui, je lui donne des conseils, je lui prodigue des enseignements, mais, à moi-même, seulement à moi-même (rassure-toi), je mens. *(Un silence. Court.)* Quoique, il y a cet homme qui m'aimait et que j'ai sciemment encouragé à larguer sa femme pour m'épouser. Dix jours auparavant, je ne le connaissais pas. Des accointances de très longue date me l'avaient recommandé, moi, divorcée alors depuis cinq ans et recherchant nouveau mari, par le biais du *mektub* ; “tu ferais mieux de bousculer ce *mektub*, avec l’aide du libre arbitre que le Tout-Puissant t’a octroyé, sinon tu mourras vieille fille comme moi, *yaa uhtii* !”, m’avait moqueusement lancé l’une d’elle, Fatima, une veuve, mère de trois enfants bien élevés, qui peinait à trouver l’homme sérieux qui les aimerait *bissabbillilaah.* À cet homme qui m’aimait n’avais-je ainsi pas dit que je le laissais venir chez moi pour causette et mariage presque immédiat, parce que je croyais qu’il était assez-riche pour financer mes objectifs de vie majeurs : cesser de travailler et utiliser ses revenus pour satisfaire tous mes besoins, du loyer aux courses, en passant par mes nombreux imprévus superflus, pendant que moi je m’occupe des tâches ménagères, de son ventre, de sa libido, en faisant ce que je veux durant ses heures et jours de travail, y compris avec sa carte bancaire, tout en jouant les épouses modèles lorsqu’il est présent. Normal, non ? Après tout, je l’ai fait à d’autres hommes. Dix ans durant. Cela s’était mal terminé. J’avais failli être battue à mort par l’un d’eux. Mais c’était quand même une belle expérience pour moi : j’ai détourné leur fric pour acquérir moult biens, certains plus utiles que d’autres, notamment mes trois terrains, qui sont assez-grands pour que je sois deux fois millionnaire si je les revendais… Saada, un autre homme que j’avais épousé avec les mêmes objectifs me violenta en plusieurs occasions, puis il me menaça avec un gros couteau de Chef ! Je l’ai quitté, bien évidemment. Il court encore derrière moi. Mais bon, bref, vers la fin de notre relation, en plus du couteau *(encore !)* et d’une gifle particulièrement retentissante, ce géant essaya de m’étrangler dans mon sommeil. J’ai eu la frousse de ma vie et, au lieu de remettre le voile qu’il m’avait imposé, j’ai mis les voiles, sans tambour ni trompette. Car ce gifleur, étrangleur et poignardeur potentiel, était un ivrogne occasionnel et un fornicateur plénipotentiaire. En même temps, j’ai dû l’avoir transformé en monstre, j’ai dû faire émerger le monstre en lui, le Mister Edward Hyde enfoui au fond de son bon philanthrope de docteur Henry Jekyll ? Ou était-ce le cas que cet homme s’était rendu compte des sommes astronomiques d’argent que j’avais aspiré de ses comptes, à ses nez et barbe ?

Après un court temps j'ai couché avec deux ou trois p'tits copains, sur le chemin du trouver le prochain mari à exploiter. Le plus éligible d'entre eux était père, marié et, après quelques rendez-vous galants et séances de cuissage fort appréciés de nous deux, il décida de rester avec ses enfants et sa femme. En revanche, j'ai épousé un autre homme que j'ai convaincu de finir de larguer sa femme, parce que son statut me faisait voir des dollars partout. Invité chez moi, il est venu un après-midi pour manger et discuter. J'ai pu me rapprocher de lui physiquement. Je me suis fait prendre dans ses bras. J'ai feint d'avoir touché subrepticement son membre, que j'ai trouvé assez dur et gros. Rassurée, je lui ai dit : si je te demandais de quitter ta femme demain et de venir emménager chez moi, le ferais-tu ?

— Oui, sans hésiter, Najma. Aussitôt dit, presque aussitôt fait, mais ce mariage ne dura pas non plus, ma chère Saada, parce que je me suis menti. Chez l'homme, seuls l'argent et le sexe m'intéressent. En même temps, je compte quand même entrer au Paradis, par le biais du bien baiser et du bien nourrir tout mari que j'aurai et prétendrai aimer. Trouve l'erreur si tu peux, chère amie, car jamais je n'en ai vu. Je me mens, c'est ma seule certitude, je joue les victimes et j'adore que l'on me voie comme telle. Après tout, ce n'est pas de ma faute si, jusqu'à mes vingt-trois ans, j'ai eu une vie horrible, peu enviable, n'est-ce pas ?

Pour tout te dire, Saada, je crois que le dernier homme que je suis parvenu à faire quitter sa femme pour m'épouser, Abul Kareem, est le seul à avoir saisi mon jeu. Sûrement parce que je lui aurai montré mon vrai visage de menteuse. D'égoïste. De quelqu'une qui s'apitoie sur son propre sort. Qui n'en a rien à faire de son métier à lui, de ses ambitions d'artiste, même s'il était clairement très doué. Parce qu'il n'avait pas tout l'argent que j'avais espéré, pendant six mois et sans relâche je l'encourageais à sortir de mon appartement, à aller voir ailleurs. Il n'y avait rien à exploiter chez AK (èy kèy). Sauf le sexe bien sûr, mais même au lit je ne fournis aucun effort pour faire plaisir à mon partenaire. Il l'a sûrement compris. Car, après un temps, il arrêta de me faire monter, plus d'une fois par session de baise, au sommet d'un haut col extatique. Tu le sais, chère amie, je l'aime vigoureux, le sexe. Quitte à ce que, après, mon petit corps soit raplapla. Je ne rechigne sur aucune position. AK me pliait, dépliait et repliait ; il me contorsionnait et entrait en moi dans tous les sens, pendant que je n'arrêtais de délirer. Cet homme, disais-je, se rendit compte de mon jeu, pendant que je continuai d'essayer de lui faire croire le contraire. "C'est notre appartement", lui précisai-je une fois pour le mettre à l'aise, tout en n'y croyant pas : c'était bel et bien MON appartement. Je me mentais. Je voulais plutôt me débarrasser de lui. En même temps, il fallait que les raisons vinssent de lui. Ainsi lui cherchais-je des poux depuis son emménagement chez moi, sans succès, il était du genre intellectuellement coriace, je le lui accorde. Qui plus est, AK avait un sens aigu du jugement et de l'argumentation ; il savait lire entre les lignes, entre mes lignes. J'ai même exploité l'angle du mari infidèle : "Tu parles à qui, AK ?" ou encore "pourquoi ne réponds-tu pas à ton téléphone qui vibre depuis tout à l'heure ?"

Cela ne te regarde pas, Najma, concentre-toi plutôt sur ton mariage au lieu de te faire des films. T'ai-je déjà demandé à qui tu causes ? Et pourtant je sais que tu communiques avec les amis et familles de tes ex ? Alors, arrête, veux-tu ? Va plutôt te faire soigner. Règle tes multiples problèmes de traumatisme, traînés depuis fort longtemps et qui te conduisent, encore et encore, droit dans le mur de l'existence. Tu as des boursouflures qui sont en passe de te masquer la vue. Alors tu ne peux plus te prendre ce mur parce qu'il te détruira. Arrête d'essayer de réinventer la roue de la vie. Arrête de vivre dans le passé. On ne refait pas sa vie, on la continue. De plus pour toi, bien poursuivre sa vie passe par l'assurance d'être guérie de ses pathologies mentales. Najma, je ne suis pas un expert en psychologie ou psychanalyse ou psychiatrie, mais j'ai vu, et je vois encore que mentalement, psychiquement, émotionnellement, tu ne vas pas bien *(yeux écarquillés jusque-là, de chaudes larmes m'en tombent, sans avertissement ; moi, Najma, j'ai pleuré chère Saada, j'ai pleuré des paroles de AK)*. Tu dis avoir suivi un traitement psychiatrique, avoir vu une psychologue. Mais moi, je n'ai constaté et je ne constate aucun résultat positif probant. Tout ce que je vois, c'est une fuite en avant. Une peur apparente de ta propre personne, de ton propre corps. Une peur inexpliquée de la solitude, cette fontaine de guérison si chère au psychologue Carl G. Jung. Tu as peur d'être seule avec toi-même, Najma. Peur de réfléchir avec toi-même, par toi-même et pour toi-même. Soigne-toi avant qu'il ne soit trop tard. »

Voilà ce que m'a dit Abdul Kareem, AK, puis il m'a quitté. Ses affaires déjà sorties de l'appartement en douce, il eut quand même la décence de s'asseoir avec moi pour me dire qu'il partait. En même temps, Saada, il gâcha tout en me disant que j'allais le regretter, lui qui voulait l'avancée de la femme, notamment par le biais de l'éducation, le respect et la paix et que…

« Assez, AK ! tu m'as coûté plus que tu ne m'auras jamais donné.

— Peut-être, Najma, peut-être. J'en doute fort, néanmoins. Le plus important, là maintenant, est que tu prennes grand soin de toi. Soigne-toi. Évite les gens toxiques, elles ne t'amènent rien de bon. Revois ton carnet d'adresses à la baisse. Prends du temps pour toi-même avant de te remettre avec un autre homme, si c'est ce que tu souhaites. Tu as besoin de prendre du recul pour te recentrer sur toi-même. J'en ai besoin aussi, tu le sais, je te l'ai dit. Je n'aurais pas dû me mettre avec toi. Du moins, pas au moment où je l'ai fait. Je sais qu'il est trop tard pour réparer quoi que ce soit entre nous. Cependant, une chose est certaine : j'appliquerai à ma vie les mêmes conseils que je viens de te prodiguer…

— Va te faire enculer, AK, sors de mon appartement et rendez-vous dans l'au-delà monsieur parfait ! »

Saada, je ne voulais pas entendre ce qu'Abdul Kareem avait à me dire. Comme à mon habitude avec lui j'ai essayé de tout contrôler, y compris notre rupture. Aujourd'hui, beaucoup d'eau a coulé sous les ponts. Je me suis fait suivre par une psy, pendant quelques mois. Après dix sessions, d'une heure chacune, je n'en pouvais plus, je n'en voulais plus. Alors j'ai arrêté dès confirmation, à mon niveau, que tout ce qui m'est arrivé et continue de le faire doit être imputé à deux personnes peu recommandables. L'une vient de me laisser avec l'autre, qui est là devant moi, sur un lit d'hôpital, yeux fermés, bouche baveuse, sans espoir de guérison apparent…

Au-delà des abus sexuels, Saada, tu sais aussi que j'ai subi des violences psychologiques et un manque d'affection qui m'ont tout aussi détruite pendant un temps. Personne ne me voyait, j'étais invisible. Personne ne me reconnaissait une présence, j'étais là sans être là. Mon psychiatre disait que tout cela aggravait ma condition pathologique de jeune enfant à la recherche de sa place dans le monde. C'est à ce moment-là que je décidai de mettre fin à ma thérapie. Parce que mon psychiatre dit de moi, indirectement, en utilisant le masculin *(j'avais compris sa combine !)*, que continuer de vivre sa vie comme si ses expériences traumatiques y étaient encore présentes sous leurs formes premières est gage que l'on n'est pas encore guéri de ces mêmes traumatismes. Que le passé allât saigner de tout son dérangement traumatique sur toute nouvelle expérience ou rencontre que l'on allait faire. Sur tout nouvel évènement auquel l'on allait prendre part. Saada, je savais qu'il racontait des bêtises, car il y avait bien longtemps que j'étais guérie. Raison pour laquelle j'ai décidé lucidement de me traîner jusqu'à cette chambre rose de clinique huppée. Raison pour laquelle je suis en train de me demander que faire de l'alité mâle, et de sa femme partie prendre le thé. Que vais-je faire de cette racaille, maintenant que j'ai toutes les cartes en main ? Pardonner ou sévir ? Pardonner et sévir ? Tenir ou céder ? Allons, Saada, dis-moi : que faire ? Que… »

Chambre rose. Envahie par une subite bouffée de chaleur, malgré la climatisation, Najma jette un coup d'œil à la fiche, sur l'espèce de *clipboard* accroché au pied du lit. Ensuite, elle verrouille la porte, refait les six pas qui la séparent du lit. Deux de plus et la voilà à hauteur de la tête du monsieur aux cheveux grisonnants, Arif, le mari d'Aaliya, sa grande demi-sœur. De son sac à main elle sort un couteau suisse, sectionne en deux endroits le collier au bout duquel est pendu le bouton d'alarme du malade profondément assoupi, elle l'enlève délicatement. Du même sac, Najma sort un rouleau de scotch pour fret *(celui qui ne fait pas de bruit)*. Elle en coupe un généreux bout, dont une petite partie est collée au mur, juste au-dessus de la tête du malade. Elle pose le couteau à hauteur de son oreiller. Arif bougeotte, soupire et est sur le point de se rendormir lorsque, de son index gauche, Najma lui tapote la poitrine et lui chuchote : « Réveille-toi, *wakey-wakey*, monsieur Arif-putain-je-suis-un-guerrier-qui-te-promets-attention-bonheur-affection-pour-toujours ! c'est moi, Najma. » Une larme coulant de ses coins d'yeux, le malade la regarde avec tendresse. Elle lui serre la main droite, lui dit qu'elle lui pardonne tout. Il la regarde avec de gros yeux attendrissants qu'il referme en soupirant, apparemment soulagé, au même moment que Najma saute sur le lit, bloque les épaules d'Arif avec ses genoux et lui colle le bout de scotch sur la bouche, d'une oreille à l'autre. Arif écarquille les yeux de panique. Il se débat et commence à donner des coups de pied violents ; « le temps file, Aaliya sera bientôt de retour », pense Najma. Elle reprend le rouleau de scotch pour, avec l'aide du lit, entourer jambes, pieds, et avant-bras de l'alité. Elle revient ensuite au niveau de sa tête et se tient debout sur le lit, à hauteur des yeux d'Arif. De manière qu'il puisse bien voir sous sa jupe, qu'elle ne porte pas de slip, pour qu'il puisse bien distinguer son entrejambe, revoir ce par quoi il l'a trompée, violée, détruite. Et là, tout de go, un jet chaud et très puissant lui heurte le front, gicle et lui pique les yeux qu'il cligne violemment. Najma réajuste sa position avec souplesse, pour lui en faire entrer dans les narines *(« effet noyade ! » pense-t-elle, avec mépris)*. Colosse se débat vigoureusement. Sûrement est-il en train d'étouffer. Mais Najma reste calme dans sa précipitation. Couteau suisse en main, elle déchire une partie du drap blanc recouvrant l'alité des pieds au ventre ; elle lui remonte sa combinaison d'hôpital jusqu'au nombril, prend un coussin du fauteuil sis à côté du lit et le place, dans le sens de la hauteur, entre les bas de cuisse d'Arif, de manière que ce dernier ne puisse serrer les jambes. Ensuite, elle lui sectionne sexe et testicules, avec force et dextérité, comme une habile bouchère pressée. Du sang gicle, il en coule beaucoup, chromosome Y déraciné, arraché de son socle telle Najma de sa mère à l'âge de trois ans. Arif essaie de crier très fort, d'un cri imitant le râle d'un porc en passe d'être abattu, son nez crache beaucoup de mucus. Najma sait qu'il faut faire vite. Il y a du sang presque partout sur les draps ; tout devient inéluctablement écarlate. Y compris les mains de Najma, son chemisier noir et sa jupe blanche. À la hâte, d'une main elle enlève le scotch de la bouche d'Arif et de l'autre elle lui fourre son zizi et ses groseilles dans la bouche ; en s'assurant que rien ne dépasse, elle rabat le scotch sur la bouche d'Arif violemment, avec une force qui la surprend, mais semble lui faire beaucoup de bien *(soupir de soulagement)*. Le patient semble mourant ; il halète.

« Crève et va direct en enfer, sale pédocriminel ! » lui lance-t-elle en rangeant le couteau dans son sac, qu'elle met en bandoulière. Deuxième soupir de soulagement : Najma se dit que voilà un travail bien accompli.

« Et puis, d'une pierre j'ai pu faire deux coups ! » Elle cherche des yeux cette fenêtre qu'elle savait donner sur une falaise de roches noires et sur l'océan.

« J'ai besoin d'air marin, ah, te voilà ! » Elle rouvre son sac, en retire une enveloppe blanche dont elle vérifie le contenu. Elle referme l'enveloppe, tachée de sang ; elle la replace au fond du sac et referme la fermeture éclair. Dernier coup d'œil vers Arif, devenu inerte et à qui elle crache au visage, avant de faire trois pas pour enjamber la fenêtre et s'asseoir. La chaleur sous son postérieur ne semble lui faire aucun effet. Elle trouve la vue bleue, belle et imprenable. Le soleil lui rit de toutes ses belles dents tropicales, elle lève la tête, ferme les yeux, sent une chaleur douce sur son visage, hume la brise marine, serre fort son sac à main noir contre elle. Tout est calme, très calme, puis... BOUNG BOUNG BOUNG ! Ouvrez cette porte !

« Ah si tu pouvais voir ce que je vois, ma chère Saada, que dis-je, tu peux le voir, non ? À partir du paradis, l'on peut tout voir ici-bas, non ? Mais attend, Saada, ne t'ai-je pas parlé il y a juste quelques instants ? n'étais-tu pas dans cette chambre avec moi ? Dis-moi que si, mon amie, dis-moi que je ne suis pas en train de perdre la tête, que je suis bel et bien guérie ! *(bruit assourdissant de la porte en train d'être forcée)* s'il te plaît, sniff, parce que, sniff, je ne veux pas que ce calme cesse, regarde cela Saada, j'aime ce vide qui m'attire, j'adore l'océan qui m'appelle, je suis guérie, je suis hyper guérie, Saada, je ne veux plus tomber malade, mon corps m'appartient, je suis aux anges, et en compagnie d'anges comme toi je voudrais être ! » *(Un temps.)*

Porte forcée. Entrent en trombe un vigile et une infirmière. Fenêtre grand ouverte, vide. L'infirmière y va, elle se penche légèrement, regarde hâtivement en dessous, mais ne voit rien au bas de la falaise rocheuse. Elle revient vers le lit d'Arif, où s'active le vigile. Du coin de l'œil, l'infirmière semble avoir aperçu une petite silhouette se glisser subrepticement, de la salle de bain derrière elle à la porte de la chambre. Mais elle n'a pas le temps de réaliser quoique ce soit, car, au même moment, une femme fait irruption dans la chambre, regarde le corps immobile sur un lit rouge et blanc et se met à crier à tue-tête. « Yaa Allah, elle l'a tué ! Cette folle, ingrate et perverse, a tué mon *habiiibiii* ! Qu'allons-nous devenir, mes enfants et moi ? » Aaliya s'écroule au pied du lit, inconsolable, elle sanglote très fortement. Davantage de personnel médical et de vigiles investissent la chambre. Il leur est toutefois impossible de retenir Aaliya qui semble perdre connaissance, mais ne lâche pas la main de son homme pour autant ; elle donne plutôt l'impression de lui écraser les phalanges... Trois autres femmes entrent dans la chambre. L'une d'elles, moulée par un pantalon slim, chaussant des baskets et tenant un casque de moto à la main, semble sereine, presque blasée, pendant que les deux autres sont visiblement ébranlées...

Djeynaba

« J'accuse. J'accuse le mâle. J'accuse le mâle qui me donne la rage. Parfois. J'ai la rage contre le patriarcat fantasmant, qui conjecture. Il nous crache une quantité démesurée de machos et leur fiction universalisée. Trop à la fois, comme si nous étions des oies qu'il faut rendre mortellement malades du foie. Pour qu'ensuite l'homme le consomme goulûment, à sa table de fêtard. Cependant, nous, les femmes du Continent, ne sommes pas des bécasses. Et puis de l'ouest ventru à la corne orientale, ou encore du nord au sud, la toute-puissance du mâle est une fiction, qui plus est, une convention de clique érigée en systémique de domination, avec comme corollaires une infinité de violences faites aux femmes.

Dit autrement, non au décorticage du problème des violences ! Cela les réduirait à néant. Cela les limiterait au néant. Cela les cantonnerait à l'analytique, théorie par rapport à laquelle je n'ai pas le temps, ici, de remonter jusqu'à Ludwig Von Bertallanfy, son créateur, pour l'expliciter. Je dirais seulement que les violences faites aux femmes – des femmes qui, soit dit en passant, ne doivent être perçues comme faibles ou vulnérables –, sont des phénomènes d'interdépendances complexes participant d'une logique de système, d'un ensemble d'interactions tout sauf simpliste. La complexité de ces violences est organisée, ouverte, fissurée pour laisser passer, ou laisser entrer, toutes sortes d'ignominies. Ces mêmes violences sont par conséquent des systèmes à ouvertures devant être pris dans leur(s) totalité(s) interagissantes. Parce qu'elles ne comportent rien d'humain, je ne peux les classer parmi les organisations humaines ; et peut-être que c'est le mâle collectif lui-même qui est inhumain, vu qu'il est autodestructif ?

En tout cas, il nous faut métathéoriser le mâle prédateur. Il le faut, si nous voulons annuler sa brutalité, si nous désirons retirer ses violences de nos propres systèmes, celui nerveux en tête, si nous souhaitons extirper ce mâle de nos corps – poitrines, postérieurs et vagins en tête – qui semblent lui faire suivre, trop souvent, le diktat de sa queue flanquée de deux frères jumeaux suspendus à sa racine et issus, comme ladite queue, du même chromosome Y. Un trio que ce mâle vénère, aux dépens de sa cervelle trop souvent phagocytée par ses propres viol(ence)s à outrance. De ces violences il existe tellement que s'il fallait toutes les comprendre puis les analyser, avant d'agir, l'on risquerait de ne savoir où donner de la tête. Néanmoins, l'on ne peut continuer de les laisser sévir ! Et si je m'exclame ainsi, c'est que j'en ai subi tout un paquet.

Mariée de force à 14 ans j'ai fini par vouloir fuir d'un coin de désert, à l'est du Continent, où m'avait encore traînée mon mari, un commerçant de sel, d'épices, de chameaux et d'autres choses que je ne voulais savoir. Il ne comprenait ni le français ni l'arabe, en fait, rien d'autre que notre langue maternelle, communément parlée dans l'Ouest à paysages verts. À chaque fois qu'il m'emmenait à l'est du Continent, c'était pour que je lui servis d'interprète, de comptable, et d'objet sexuel, violé deux ou trois fois par nuit, où que l'on pût être, dans un lit, sur un matelas à même le sol, sur une natte de raphia et j'en passe : tout était force et forcé avec lui. Après deux voyages dans ce milieu hautement inhospitalier, j'ourdis un plan de fuite vers le Yémen ; j'allais l'exécuter lors d'un troisième voyage, planifié pour la veille de mon seizième anniversaire, en m'assurant de prendre argent, habits légers, papiers d'identité, mes maigres économies, un litre d'eau, quelques victuailles, etc. ; j'allais m'enfuir nuitamment, lorsque mon sale taureau de mari se serait mis à ronfler après m'avoir très probablement eu meurtri les parties intimes au point que marcher, faire la cuisine ou mes besoins eût été un supplice. J'allais ensuite rallier un point de rendez-vous fixé par des passeurs, avec qui j'avais discuté continuellement depuis six mois. C'est un chamelier, employé mécontent de mon mari, qui me les avait présentés en catimini, après que je lui eus confié mes projets de fuite ; je lui faisais confiance, il me vouait un amour de père attentionné et sensible à mes moindres peines. Jadis, il avait une fille, m'a-t-il révélé une fois, "belle et délicate, que le *méktub* m'a arraché à travers un mari violent, auquel elle ne pouvait dire non parce qu'elle n'était qu'une troisième épouse qui, à ses yeux, tardait à apprendre que les besoins pressants de l'homme qui l'avait achetée, ses termes, ne pouvaient attendre. Tout cela était de ma stupide faute. Au lieu de la défendre, je l'ai sacrifiée, elle, ma fille aînée. Mais laissez-moi vous dire, madame Djeynaba, que le *méktub* est à provoquer, bousculer, déranger, anticiper ou esquiver. Sinon la capacité de jugement que nous a donné le Très-Haut n'aurait plus de sens ? *(Je hochai la tête.)* En tout cas, je ne peux que prier pour le repos paisible de ma chère Aïcha ; son vaurien de Bédouin d'ex-mari est pris dans mon collimateur, je le cherche encore dans ce vaste désert et le retrouverai un jour ! En même temps, je ne laisserai tomber aucune autre fille de mon entourage. Surtout pas vous, la bien élevée, l'intelligente, la très généreuse madame Djeynaba. Vous m'avez fait découvrir des traits de caractère de mon employeur que je n'avais pu soupçonner, mais qui me font vous implorer de le quitter – m'entendez-vous ? Tranchez le *méktub* au couteau, au sabre s'il le faut. Fuyez. Partez explorer le monde, envers et contre tout, allez chercher ce qu'il y a derrière l'horizon. C'est ce que j'aurais dû dire à ma Aïcha chérie !" Deux grosses larmes coulèrent sur ses joues noires (légèrement bleuies par le tissu du turban qui, durant les intempéries, lui couvrait aussi bouche et nez). Au même moment, ses yeux marron luisaient sous les caresses d'un soleil crépusculaire orangé, astre dont la lumière éclairait encore les dernières étapes de ma cuisson de viande de chèvre façon barbecue, avec, à côté, une sauce de légumes qui mijotait et de la semoule que j'allais préparer en dernier… Je comprenais la douleur de Lansiné Ould Dadda ; je lui étais très reconnaissant de m'avoir redonné le courage nécessaire pour m'en aller.

Après des mois de préparation minutieuse, cependant, un imprévu de taille fit irruption dans ma vie et modifia mon challenge du *méktub*, mes projets d'évasion, un bon matin où j'entrais avec mon mari sous la tente d'un de ses clients ou associés, pour y conclure une affaire. En effet, j'aperçus un jeune homme, longiligne et l'air suave, debout à côté de notre hôte. Il semblait lui servir d'interprète auprès d'un petit groupe de chameliers noirs du nord-ouest du Continent que je reconnus comme ayant fait partie de notre caravane ; ils attirèrent aussi mon attention parce qu'avant-hier, n'eût été l'intervention musclée de Boy Naar Tàabàan, sorte de garde du corps et homme à tout faire de mon mari, deux d'entre eux allaient en venir aux couteaux pour une question de partage de deniers. Au beau crépuscule du même jour alors que, seule, je faisais les comptes de Alaadji Amaratra, mon porc de mari, le jeune homme aperçu quelques heures plus tôt, passa devant notre tente, pour aller je ne sais où, m'aperçut et s'arrêta pour dire bonjour. Quelques salutations polies, suivies de commentaires sur le coucher du soleil, le climat et la beauté du désert suffirent pour que je me rendisse compte que ce mâle pâle était sympathique. Au contact de ses beaux yeux bleus, de sa petite bouche, de ses dents légèrement jaunies, de ses cheveux bruns lui arrivant aux épaules, mais aussi de son français, son anglais et son arabe aux tons d'élocution qui me caressèrent l'oreille telle une langue d'homme romantique *(je me débrouillais en anglais et en arabe)*, j'eus de soubresauts de cœur, hélas, vite assagis par mon cynisme vis-à-vis du mâle en général.

Cependant, vu que le jeune tenait aussi la comptabilité de son boss, nous dûmes travailler ensemble le lendemain et le surlendemain où je fus agréablement surprise de constater que mon verbe, mon regard, ma taille fine et mon teint noir ne le laissaient pas indifférent. Ainsi lorsqu'il me dit son âge *(quatre ans de plus que moi)*, qu'il était en année sabbatique et devait bientôt retourner au Yémen, où il avait des potes européens en *gap year*, ainsi que quelques amies yéménites, je décidai de le séduire ; rien qu'au regard qu'il me portait, et cela depuis notre toute première rencontre, je remarquai qu'il était timide, en mal de sexe et que ç'allait être un jeu d'enfant pour moi. En plus, d'une part, je n'avais besoin d'aucune excuse pour quitter mon mari violeur immédiatement, ou retourner dans mon pays dont le poids social rendait ma fuite presque impossible. D'autre part, il m'était trop facile de donner mon corps à n'importe quel Être avec queue, fût-il un extraterrestre *(sourire)* : je ne pouvais ressentir un quelconque plaisir sexuel ; gémissements et cris à l'appui, je ne faisais que simuler quand mon porc de mari me ravageait l'entrejambe ; mais cet idiot accrédité semblait ignorer ce que faisaient, à mon plaisir sexuel de femme, les violences perpétrées sur mon usufruit – violences dont il avait pourtant fait vérifier l'accomplissement, auprès et par le biais de mon père, autre mâle mauvais.

Cela dit, avançons en revenant à mon jeune homme timide, Étoile de Hauteclocque Guénard Desbruères. Trois nuits de suite, je me rendis sous l'énorme tente qu'il partageait avec d'autres. À l'endroit exact où il couchait *(la lueur immobile de sa petite torche était ma boussole)*, je le fis jouir, entre stupéfaction et peur, comme jamais il n'avait joui auparavant, en faisant s'accroupir la tigresse, se recroqueviller l'ange, ou encore en remplissant le Triangle d'or. À chaque fois, je lui faisais croire que quitter mon mari aimant n'était pas une option. À moins que lui, Star (son surnom, dès notre tout premier baiser), ait eu le cran de s'enfuir avec moi, de me garantir un passage au-delà du Yémen et une entrée légale dans son continent : assise sur lui, je m'étais penché vers l'avant, mes mains posées sur sa poitrine rachitique, pour lui chuchoter ces paroles, yeux dans yeux, sans ciller, tout en faisant travailler mon bassin, mes reins et mes hanches de manière à exciter la sonde chaude de Star, dont mes entrailles avaient le contrôle. Il acquiesçait, ahuri, comme suspendu au bout d'une corde nommée Extase, menaçant de lui causer un arrêt cardiaque !

Désormais, rien qu'à me voir déambuler dans le campement, cette tête de pénis blanche perdait le nord. Ce qui facilita notre fuite ensemble. Malgré mes plaisirs sexuels *fake*, quand, au cœur de nuits noires, ou à la belle étoile, nous faisions ce qu'il aimait appeler l'amour. Des moments volés qui m'auraient davantage meurtri les parties intimes, si ce n'était l'aspect psychologiquement indolore des assauts aimants de Star, sur et dans mon usufruit, comparés aux souvenirs encore vifs de violences que j'y ai subies entre mes 9 et 10 ans d'âge. Une brutalité émanant d'une pratique barbare que mon porc de mari avait posée comme la condition non négociable de son mariage avec moi. Ce mari de trente ans mon aîné avait importé cette barbarie d'un pays désertique du Continent, léché par l'océan Indien. Du moins, je crois en cette importation parce que, d'une part, ses voyages là-bas avaient débuté avec son propre père trente ans avant ma naissance, lorsqu'il avait 14 ans, et d'autre part parce que toute sa vision du monde semblait venir de ce petit coin précis du Continent. En somme, dès mes 9 ans, mon père m'avait pratiquement vendue. Raison pour laquelle j'étais sans doute condamnée à devenir et rester une simple marchandise remplissant les critères de son acheteur : en l'occurrence, Alaadji Amaratra !

J'étais une enfant triturée, torturée, mais personne n'en avait quelque chose à faire. J'avais beau crier à me rompre les cordes vocales, mes tortionnaires, des femmes, me traitaient d'enfant gâtée qui aurait gagné à être plus digne face à ce privilège qu'il lui est donné d'incarner une tradition millénaire, purifiante, à l'instar de centaines de braves filles avant elle, sans broncher… "Sans broncher ?" pensai-je. Clitoris meurtri, sans que l'on ronchonne ! Allez au diable, femmes éhontées, vous n'avez subi que l'ombre du début de la gravité de ce que vous êtes en train de m'infliger et de me faire endurer ! Digne ?! Mais, vous entendez-vous ? Pourquoi ne pas ajouter pa *(et voilà qu'elles usurpèrent à mes pensées ce terme débile, pour me le cracher au visage : "Patiente, jeune fille, soit patiente !")*… Ces amateuristes maladroites, croulant sous le poids de notre culture tortionnaire, savaient-elles ce que je sais aujourd'hui ? À savoir qu'au sein de ladite culture l'adjectif découlant du nom patience est toujours genré au féminin ? Pendant que les mâles, eux, sont impatients, inlassablement, de nous arracher à l'école. De nous acheter. De nous torturer. De nous violer. De nous maintenir dans l'ignorance de nos droits les plus élémentaires. Impatients de nous voir mutilées sans nous salir les mains parce que préférant déléguer leurs ignominies de préviols répétés de nos corps d'enfant à des femmes qui, dans l'ensemble, n'ont aucune notion de systémique. Encore moins ont-elles une idée de comment rompre le cercle vicieux d'une soi-disant tradition dont l'obsolescence saute pourtant aux yeux. Des idiotes utiles, incapables de prendre conscience du comment dissocier la lame et la chair féminine, pour que les portes de notre Nirvana de femme nous soient grande-ouvertes...

Ma mère ne voulait pas que l'on me la fît. Elle pensait que c'était de l'abus. Elle plaida sans succès auprès de mon père, autre Alaadji prétendant être bon musulman. Elle était impuissante parce qu'elle-même dupée depuis sa propre enfance. Elle ne commença son processus d'éveil que lorsque sa fille aînée, c'est-à-dire moi, eut 7 ans et que ma mère réalisait que l'échéance de l'excision, premier viol patriarcal sur mon petit corps, était imminente. Bataille perdue, disais-je tantôt. Cependant, elle ne s'attendait pas à l'importation d'une pratique aussi barbare que celle que j'allais subir à 9 ans. Elle n'avait pas prévu cette torture provenant d'une contrée qu'elle savait si lointaine. Elle ne s'attendait pas à ce supplice, qu'elle croyait ne servir qu'à surveiller et punir sa fille avant même que cette dernière n'eût pu connaître son propre corps et ce qu'il lui réservait pour le futur. D'ailleurs, dans notre coin vert de l'ouest du Continent, le clitoris avait été guillotiné depuis la nuit des temps. La plupart de nos femmes ont ainsi été "purifiées" depuis des siècles, pour le profit de mâles. Ces derniers vivent de passe-droits et suivent leur libido, membre bringuebalant dans sarouel ou autres pantalons, bouffants ou près du corps, à la recherche de sexes féminins mutilés, tels des missiles des cibles à endommager : ayons le courage de le dire.

L'assaut d'une lame de rasoir avait déjà endommagé mon clitoris, bien sûr, à l'âge de 7 ans. Mais nos amateuristes maladroites, les femmes éhontées susmentionnées, ne s'arrêtèrent pas là. Car avec l'infibulation, pratique barbare et importée, à 9 ans elles me recoupèrent le clitoris plus profondément, ainsi qu'une partie des lèvres de mon sexe. Ensuite, elles cousirent ces dernières avec des épines d'acacia, avant de me ligoter, des hanches aux genoux, avec des cordes, position dans laquelle je devais rester quatre semaines durant *(au lieu des quatorze à vingt et un jours requis pour ce supplice, près des côtes de l'Océan Indien, allais-je découvrir plus tard)*. J'eus des complications, des douleurs atroces et, à la cicatrisation, je n'avais plus de vulve, vu qu'à la place avait été élevée une muraille de chair ininterrompue, entre mes cuisses, de mon pubis à mon anus : elles ne me laissèrent qu'un trou, plus ou moins aussi gros qu'un doigt, pour toute sortie liquide devant passer par mon sexe. Ainsi s'effaça totalement de mon radar affectif tout jeu ou flirt innocent avec les garçons ; en somme si j'avais été étroitement surveillée jusque-là, je venais d'être bien punie avec un soupçon de liberté surveillée et hautement provisoire, que maman, complice à contrecœur (je crois), avait eu raison de craindre.

Sept ans après ce second calvaire, il en vint un troisième : mon mariage au mâle commerçant, j'ai nommé le porc de mari que j'allais quitter pour Star, le genre de hippie que j'accueillis répétitivement en mon sein alors qu'il n'avait pas vu de salle de bain depuis huit mois *(rire)*. Le premier soir de mon troisième calvaire, j'arrivais chez mon mari, après une fête et une cérémonie traditionnelles *(il ne voulait rien de moderne ; ses propres enfants ayant eu des filles plus âgées que moi, sa pédophilie devait-elle être dissimulée en quelque sorte ?)* lors desquelles mon père se remplit les poches ; il ne pouvait me regarder dans les yeux ; et, la voix emplie de pleurs, ma mère me donna des conseils auxquels elle ne croyait plus. Fête et cérémonie furent tout en couleurs, me disait-on, mais je n'en voyais rien, zombifiée que j'étais par mes pleurs et les jubilations envieuses des filles de mon âge, à qui il tardait de m'emboîter le pas…

Ce fut également ce soir-là que deux femmes vinrent me rouvrir l'usufruit, armées d'un poignard, d'un morceau de verre et d'un de silex – juste en cas ! Le poignard me fissura de bas en haut. Ouverture arrondie, prolongeant celle d'origine juste assez grandement pour laisser une queue de mâle faire ses va-et-vient *(l'anatomie de mon entrejambe, de mon sexe, changea à peine)*. Opération brusque. Pis, plusieurs tracés de poignard furent nécessaires pour en arriver là. Douleurs indescriptibles. Du sang de perdu ; grand tampon de coton, généreusement imbibé dans de l'alcool à 70 °C, jeté sur mon sexe : Bam ! “De grâce, serre bien les cuisses, pour que le saignement puisse vite cesser !” À peine furent parties les éhontées – on aurait dit que les heures avaient été compressées en secondes –, étant en position fœtale et me tordant encore de douleurs lancinantes, j'entendis des pas de babouches traînées sur carreaux. C'était la façon paresseuse de marcher de mon mâle-porc-commerçant d'acheteur, quatre-vingts kilos de viande gras sous peau beige, ventre bedonnant, haleine de tabac chiqué et, lorsqu'il atteint la porte de la chambre nuptiale, odeur de parfum Musk dégueulasse qui me donna la nausée. En quinze minutes de préparation sommaire, un poignard posé bruyamment sur la table de chevet *(si les éhontées ne m'avaient bien rouverte, il l'aurait utilisé)*, le mastodonte était prêt à m'agresser. Il feignit d'être gentil avec moi, tout en me pressant les seins à pleine main, comme pour en extraire du jus ; dans sa précipitation de mâle en rut, il me mordit deux fois les tétons, je gémis, il me regarda avec étonnement puis se précipita pour ôter le coton rouge. *(Un temps.)* J'étais sous lui sans y être ; seules mes douleurs me rappelaient qu'un homme de l'âge de mon père était en train de me déchirer les entrailles, en jouissant bruyamment. Quarante-cinq minutes la première fois, vingt-cinq la deuxième et quinze la troisième fois. J'ai cru sentir son pilon sous mon diaphragme, tellement j'avais maaaal ! Il se laissa ensuite tomber brusquement à côté de moi et ronfla à faire vibrer le lit, à presque faire tomber le faux plafond. Les draps étaient pleins de rouge. Je ne pouvais ni dormir ni bouger. Je pleurais jusqu'au petit matin et stoppais net lorsque je me rappelai qu'il m'incombait de m'occuper de mon agresseur, à savoir l'aider à se préparer pour la première prière de la journée. Le soir suivant, rebelote. Pareil pour les cinq nuits suivantes. Il me fallut ainsi deux mois pour commencer à cicatriser, pour commencer à me remettre de ce calvaire physique. Psychologiquement parlant, je ne m'en remettrai sûrement jamais, surtout lorsque je me remémore le fait que l'une de ces sept nuits aboutit sur une fausse couche, suivie, plus tard, d'une autre grossesse ayant atteint son terme, mais dont le garçon qui en naquit décéda à l'âge de 3 mois : d'une rougeole ! Enfin, j'interrompis volontairement une troisième grossesse, à dix semaines environ, lorsque l'on m'apprit à une visite médicale, faite sans l'aval de mon violeur de mari, que je portais une fille. J'avais décidé que si je devais en mettre une au monde, ç'aurait été ailleurs, loin de toutes ces pratiques barbares qui me hantaient depuis mon enfance ; ç'aurait été également après une certaine renaissance passant par une reconstitution de mon sexe, pour qu'enfin je pusse éprouver du plaisir avec un homme que j'aurais choisi et aimé.

Cela dit, l'horizon n'allait commencer à s'entrouvrir pour moi qu'après ma rencontre avec Star. Il me fit entrer légalement dans mon pays de résidence actuel, le sien, en m'épousant sans hésiter au Consulat de Sanaa, vu qu'il était si sincèrement épris de moi. Star savait toutefois qu'avant même de traverser l'océan Indien ensemble, j'avais tracé ma propre trajectoire sur laquelle je voulais continuer, une qui n'impliquait personne d'autre que moi, avec ou sans lui ou quiconque d'autre à mes côtés. Une trajectoire différente de la sienne. Je le lui avais dit et c'est sans surprise que je l'ai quitté, il y a des années maintenant, même s'il s'était obstiné à essayer de nous faire rester ensemble. Star s'était accroché à notre soi-disant relation, comme il le faisait si bien à mes hanches, mais rien n'y fit : je partis, après lui avoir prouvé que je n'avais jamais ressenti de plaisir avec lui. Que ce n'était pas de sa faute. Que je n'avais pas pu. Qu'il se pourrait qu'un jour j'éprouve ce plaisir, mais pas avec lui, car je l'aimais trop pour l'embarquer dans mon océan d'incertitudes…

C'était un après-midi d'automne, Star m'avait déjà fait un bisou d'au revoir et s'apprêtait à sortir de la chambre, pour aller donner un cours particulier de philosophie, s'il arrivait à me lâcher les fesses et à retirer ses lèvres de mon cou s'entend. Bref, n'en croyant pas ses oreilles, il s'arrêta subitement de m'étreindre, me poussa dans le lit et à peine mon dos avait-il touché le matelas que sentis-je mon slip se dérouler jusqu'aux chevilles, mes creux de genoux dans ses mains et mes jambes repoussées vers ma poitrine, écartées : Star fouina, énergétique et excité tel un chien chercheur de truffes ; il me suça et lécha *(il adorait ça)*, aveuglément pour commencer, puis avec sa patience et son application légendaires. N'entendant point mes gémissements, halètements ou cris habituels, Star leva les yeux et se rendit compte que j'étais impassible. Que mon regard aimant ne pouvait cacher la froideur de mon visage. C'est de la sorte que, pour la première fois, Star vit mon sexe vraiment pour ce qu'il était : "c'é-tait cou-pé, cou-su, re-déchiré, au quoi, poi-gnard !"

"Oui."

"Oh non, nooon, quelle barbarie, excuse-moi, quelle torture !" Nous pleurâmes ensemble, lui plus que moi. Au bout de quelques semaines, Star s'avisa de lâcher prise. Nous restâmes bons amis. Nous nous voyions de temps à autre pour un café ou un MacDo, mais plus maintenant, notamment depuis mes cours du soir en langues (français et anglais), mes boulots en intérim, mes cours de psychologie et surtout depuis mon intégration d'une structure spécifique de solidarité féminine. Notre contact devint rare et exclusivement téléphonique, j'étais l'eau qui coulait en s'éloignant du pont sur lequel Star voulait me garder…

En effet, étant devenu humaniste dans l'âme, assoiffée de pouvoir d'autodétermination depuis l'enfance qui m'a été volée, désireuse de faire partie d'une vraie (à mes yeux) sororité, j'ai cherché ma voie jusque dans l'Écosse du 16e siècle, au sein d'un ordre initiatique au moins quatre fois centenaire. Autrement dit, j'ai trouvé la franc-maçonnerie, qui compte des loges jusque dans mon pays vert de l'ouest du Continent. J'ai été initiée à La Grande Loge Féminine de mon pays d'accueil, grâce au bon cœur de Star, second ex-mari, indirectement bien sûr. J'ai été initié aussi et surtout parce que je le voulais, je désirais coûte que coûte trouver une stabilité genrée apte à me permettre, à moyen terme, de rassembler mes forces, ainsi que des fonds que j'allais acquérir à la sueur de mon front, tous deux nécessaires à la réparation, dans un premier temps, de mon sexe meurtri par tant d'inutiles mutilations.

Il faut savoir qu'à l'époque où je rencontrais beaucoup de franc-maçonnes, lors de conférences publiques qu'elles organisaient souvent, ou en faisant mes propres recherches sur l'histoire des femmes et des noir.e.s dans la franc-maçonnerie, elles comptaient déjà plus de cinq cents loges. Depuis que j'en fais partie, mes années d'assiduité combinées à une profonde compréhension des textes et rituels maçonniques m'y ont permis de gravir les échelons. Jusqu'au grade de présidente de Loge. Présidente qui se voit proposer par sa hiérarchie d'aller épauler sa collègue du bled, qui aurait besoin d'y redynamiser l'adhésion et la participation féminines (à la traîne, par rapport aux hommes). Cependant pour des raisons intimes et personnelles je n'ai pas encore accepté l'offre de mission : mon premier ex-mari est encore très influent au pays, et lui et mon père, ayant la honte comme seul couvre-chef, ne m'ont toujours pas pardonné ma "fugue". Je décline également la proposition parce qu'au sein de notre philosophie maçonnique globale, je n'ai pas fini d'approfondir mes connaissances sur la bioéthique et le féminisme, plus particulièrement le droit des femmes, deux sujets qui me tiennent particulièrement à cœur. Enfin pour être totalement franche comme une maçonne, je dirais qu'il y a des questions de fond, propres à mon Continent d'origine que la franc-maçonnerie de là-bas doit régler elle-même. Questions auxquelles je ne souhaiterais pas être mêlée. Mais une fois qu'elles seront résolues, peut-être que je risquerai d'aller travailler en pays vert sans peur de me heurter aux sphères d'influence de mon premier ex-mari, par exemple. Quelles sont ces questions fondamentales ?

La franc-maçonnerie Continentale, présentement immobilisée au sol par toute une basse-cour belliqueuse et chauvine, doit se défaire des pattes du coq gaulois – et sportif – posées avec force, et sans permission, sur son cou, qui s'en retrouve ensanglanté par des ergots enfoncés dans sa chair, non loin de sa veine jugulaire. L'obligation de s'en défaire afin de pouvoir respirer devient urgente. Notamment pour arriver à se débarrasser des rivalités et guerres d'obédience importées de chez ce même coq : Gauche vs Droite, Progressistes vs

Conservatrices. En d'autres termes où est la version Continentale de la franc-maçonnerie ? *Quid* de nos chefs d'état, et d'autres politiciens francs-maçons, qui ébranlent la Continentalisation de l'Ordre pour des raisons de politique politicienne ? comment peuvent-ils être francs-maçons, en effet, et faire leurs peuples s'entretuer par le biais d'une guerre civile par exemple ? Ce qu'il nous faut, c'est lier l'acte à la parole et aux valeurs du Continent où, en vérité, les maçonnes (et les maçons) semblent présentement inefficaces en gestion ou éradication de conflits ; elles, et ils, se contentent généralement d'activisme opportuniste. Par conséquent, tant que mes sœurs, qui sont ma priorité, ne seront pas des maçonnes franches, aussi longtemps que la franc-maçonnerie du Continent pensera en termes de tribu, de clan, de nombrilisme (solidarité entre maçonnes d'abord, si ce n'est exclusivement), nos valeurs d'Ordre, notre amour désintéressé du bien ainsi que notre idéal sociétal en pâtiront. Au sein de nos loges Continentales, les femmes sont encore à la traîne, même si ce n'est pas par faute d'avoir essayé ou continué d'essayer de faire bouger les pénis, les mâles, afin d'affirmer nos identités, nos préoccupations de lutte féminines et féministes. Enfin, mon expérience sur le Continent comme fille et femme, à la fois appauvrissante et enrichissante, mais aussi mes recherches et connaissances sur la franc-maçonnerie du même Continent, me font croire dur comme fer que les lignes ne bougeront pas de sitôt. Que les pénis ne se retireront pas entièrement, pour nous laisser, nous les femmes, respirer, exister, bâtir et jouir comme il se doit (de) l'édifice maçonnique sous les tropiques.

Voilà donc résumé pour X, ci-dessus, l'essentiel de ma conversation formelle et inédite avec Jeanne Colin, Grande Maîtresse de notre Grande Loge Féminine. Cette dame intelligente entendit mon argument et ne me poussa plus jamais à partir booster la franc-maçonnerie dans mon pays d'origine, ou dans n'importe quel autre pays du Continent. Après tout, j'ai rappelé à Colin qu'il lui est arrivé de citer éloquemment, au néophyte que j'étais, sa prédécesseure, madame Jeannin-Naltet, sur ce qu'est la franc-maçonnerie, à savoir, "une méthode pour exploiter le champ de l'intime, dans la dynamique du partage et qui nous donne les clefs pour combattre les préjugés, les carcans sociaux et les stéréotypes.” En d’autres termes, j’ai réitéré à Grande Maîtresse Colin les raisons pour lesquelles la franc-maçonnerie était ma voie de rédemption. Étant déjà imbue d’un sens du devoir, je cherchais une entité ouverte, multiculturelle, où les femmes pilotaient leur destinée dans la justesse et l’égalité des droits. J’étais en quête de confiance et d’harmonie des idées et des actes, loin des clivages partisans du type politique ou genré. Je ne souhaitais plus subir le poids de la religion en général, surtout lorsque cette dernière est l’apanage d’un patriarcat en rut. Mais je voulais aussi m’arroger le droit et la liberté de pratiquer la mienne, ma religion, tout en respectant celles des autres femmes. Que l’on nommât ce deuxième vœu “laïcité” m’était égal, car ce terme était devenu une poubelle de luxe, un fourre-tout, un symbolisme inatteignable. Enfin, j’ai rappelé à Grande Maîtresse Colin que je m’étais laissé coopter par la franc-maçonnerie pour, à la fois donner à ma vie le sens que j’avais voulu et aider d’autres qui le souhaiteraient à en faire autant. Ce n’est donc pas en retournant sur mon Continent, processus exogène à mon entrée en franc-maçonnerie, que j’allais arriver à mes fins. Oui, Djeynaba Aïmal a bel et bien quelques problèmes avec son pays, avec son Continent et avec leurs traditions qui, ensemble, détruisent ce pilier sociétal et culturel qu’est La Femme. Mais ce n’est pas pour autant que Djeynaba Aïmal va se faire la porte-parole d’une besogne problématique, quand bien même émanant d’une bonne intention : “Jamais”, ai-je dit à Grande Maîtresse Colin, qui faillit perdre son sang-froid légendaire. Elle me rétorqua que je devais penser à LA Marianne, quarante-huitarde, maçonnique et noire. Que cette Marianne-là possède un niveau élevé d’incarnation de : la liberté, l’abolition de la servitude, la grandeur, la Révolution française, la femme puissante et que je devais me hisser à son niveau.

“Figurez-vous, chère sœur, Grande Maîtresse Colin, que j’ai fait cela, en long et en large, avant mon intégration de l’Ordre. LA Marianne m’a poussé à pousser grande-ouvertes les portes de la franc-maçonnerie ; laissez-moi vous expliquer pourquoi et comment…”

Grande Maîtresse Colin m'interrompit, ce qui me surprit car, contraire à ses habitudes flegmatiques, son visage affichait un sourire d'excitée, mi naturel mi-forcé.

"Mais je suis tout ouïe, chère sœur Djeynaba, dites-m'en plus."

Je lui fis un exposé succinct de mes quelques recherches et enquêtes. Principalement des articles, chapitres de livres et autres documents audio, issus de nos propres publications et bibliothèques de Loges, mais aussi d'échanges avec des historien.ne.s spécialistes de la franc-maçonnerie. Je lui parlai également de mes trouvailles plus précises sur cette Marianne noire. Cette Marianne terre-mère qui ne porte jamais plainte. Cette Marianne qui se moque des démagogies blanchissantes la ciblant. Cette Marianne forte et résiliente qui n'aura eu de cesse d'interpeller tout.e faussaire osant lui porter un regard (de) géodésien pendant qu'elle, lieu de mémoire représentatif, arpente dignement les hautes marches de l'Histoire.

Il est écrit quelque part, dis-je à Grande Maîtresse Colin, que cette Marianne, un buste imposant, est unique en son genre parce que représentée sous les traits d'une femme africaine. Apparue en 1848, quatre décades avant la mode des Mariannes, elle est restée entièrement inconnue. Même si je ne pus m'empêcher de noter qu'avec cette Marianne-là, pour la première fois de son histoire, la République de mon pays hôte était noire. Ce détail est loin d'être anodin parce que c'est bel et bien pour célébrer, à la fois l'abolition de l'esclavage et les valeurs d'une Seconde République précaire, que les cinq loges maçonniques de Toulouse commandèrent au sculpteur de renom, le Toulousain et franc-maçon M. Bernard Griffoul Dorval, une "Statue Liberté". Et le résultat, qui me parle encore aujourd'hui, est que c'est une femme politique dont le destin est encore en devenir, malgré une existence déchirée par de multiples lignes de fuite, de l'humiliation, des sévices et mises à mort symboliques. Enterrée pour sa sauvegarde, elle ressortit de terre et survécut à ses nouveaux violeurs, avec une fierté et une résilience qui forcent l'admiration. J'étais tout de suite conquise ; je ne suis pas restée dans la franc-maçonnerie par hasard, Grande Maîtresse Colin. J'y suis encore aujourd'hui parce que, génération après génération, ma sœur Marianne, africaine, maçonne, noire et centenaire, a incarné, de gré ou de force, la République. De son trône sis au musée de la Résistance de Toulouse (ou de celui de sa majestueuse copie confirme, au musée de la Franc-Maçonnerie de Paris), depuis 1977, elle n'en finit pas de dévoiler ses mystères et symboles au compte-gouttes. Elle continue également de toiser ses ennemi.e.s mortel.le.s, avec l'aide du temps qui passe. Cette Marianne n'a pas fini d'interpeller toute personne qui n'aura pas (encore) compris qu'elle, cette sœur africaine, maçonne et noire, incarne le passé et l'avenir de la République ; qu'à peine pense-t-on l'avoir atteinte pour l'utiliser comme moyen qu'elle se transforme en une fin presque inatteignable vous poussant ainsi à méditer sur le fait que le discours que vous pourriez vouloir lui tenir devra obligatoirement être nouveau, postmoderne et orienté vers une République noircie de liberté, par nulle autre que la Marianne noire elle-même, Grande et Noble Dame centenaire. Depuis, la Seconde République n'a cessé de percer l'horizon du regard pour constater qu'au-delà de sa ligne infranchissable pour le commun des mortels, il ne règne en fait que du Noir, une République noire. En fin de compte, pour me répéter à dessein, après cette conversation, Colin, dame perspicace, ne me parla plus jamais d'aller aider à faire avancer l'Ordre sur mon Continent d'origine.

Peu de temps après mon échange avec Grande Maîtresse Colin, mon autre reconstruction commença. J'ai nommé celle qui, si réussie, allait me faire redevenir femme et, ainsi, permettre à mon corps de rattraper mon esprit, car ce dernier, psychologues aidant, s'était beaucoup mieux porté, même si, à mon sens, un esprit une fois traumatisé ne peut jamais s'en remettre totalement. Pour revenir à mon corps, je dirais n'avoir en effet pas renoncé à une recherche saine du plaisir sexuel *(encore moins aux hommes)*. J'avais plutôt passé beaucoup de coups de fil à deux chirurgiens et trois gynécologues qui m'avaient été recommandés par cinq sœurs maçonnes différentes. À ces sœurs j'avais ouvert mon cœur. Chacune d'entre elles me comprit, partagea sincèrement ma douleur et m'épaula sans faille. S'ensuivirent plus de quatre visites médicales approfondies, du genre bilan, puis en vint une cinquième visite où une chirurgienne (Dr Carolyn Grant) et un gynécologue (Professeur Arthur de Ménibus), qui m'avaient déjà vue et auscultée, m'expliquèrent comment allait se dérouler la première opération, première d'une longue série d'interventions qui allaient tenter de reconstruire mes parties intimes, mutilées durant mon enfance. *(Un temps. Long.)* Grant vient me faire un coucou, elle m'a rassurée : "Ne vous inquiétez pas, madame, tout va bien se passer." En revanche, l'anesthésiste, dont le nom m'échappe, est super loquace : "Fermez-la et allons-y !" ai-je envie de lui dire. En tout cas, vous aurez compris que je vais me faire opérer incessamment et que, par conséquent, j'ai dû ajouter ce dernier passage à mon journal, que vous êtes en train de lire en différé, ne l'oubliez pas *(sourire)*. Oui, j'ai tenu un journal intime, et thématique, depuis que mon deuxième ex-mari m'encouragea à m'adonner à l'écriture comme thérapie. De nos jours, je poursuis l'écriture pour continuer d'exister, j'écris pour partager et j'écris pour, peut-être, prévenir qui de droit. Au fait, avant que je ne l'oublie, c'est dans des salles d'attente et des chambres de cliniques, ou d'hôpitaux comme *La Pitié-Filles du Roi*, où je me trouve présentement, que j'ai écrit la majeure partie du texte ci-dessus. Texte lu, je le rappelle, en différé *(sourire)*. Je sais que mes écrits n'auront été lus qu'en différé, pour deux raisons liées : je suis devenue une perfectionniste qui prend son temps pour déclarer un labeur terminé et satisfaisant ; ce faisant, je peux mourir à tout instant, sur la table d'opération ou en plein rituel maçonnique, pour ne citer que deux possibilités parmi tant d'autres, sans avoir même commencé le processus d'essayer de publier lesdits écrits… Eh bien, j'ai tellement pris mon temps que, de ma demeure céleste où je me sens si bien maintenant, je suis persuadée de n'avoir rien publié là-bas, de l'autre côté, sur terre, chez vous les encore mortel.le.s. Ainsi, la question qui peut (vous) fâcher, chers lectrices et lecteurs, est celle de savoir comment mon manuscrit s'est retrouvé entre vos mains, sous forme de livre *(gros rire)*… Allons, je suis juste en train de vous faire marcher ! En vérité, j'avais laissé des instructions à Tiffanie Konaté, une sœur maçonne qui m'était très proche. Professeur de lycée, Tiff m'avait promis de remettre tous mes écrits à des auteur.e.s de confiance, y compris à un ami et collègue féministe qui écrit des livres courageux sur les femmes, livres que Tiff avait lus et appréciés ; c'est tout ce que je sais… »

Postlude lumineux

… même si vous n'êtes pas cet auteur creusotin épris d'écritures et de spiritualisme persans, le fait d'avoir ouvert cette succession de voix, ce récit en gamme ré majeur, ces cinq Nouvelles infusées de bémols vous auront peut-être fait courir un gros risque : celui de voir « une étoile qui explose en projetant des bruines de diamants » ou les « gouttes d'eau qui jaillissent de la salade qu'on essore ». Mais enfin, si seulement votre lecture a fini de vous propulser au-delà de vos espérances, alors ce risque en aura peut-être valu une chandelle quelconque, car l'ensemble des différences, des convictions et des esprits irréductibles qui forment *NOUS, FEMMES AFFRANCHIES* vous remercieront toujours d'être venu.e à leur rencontre…

Remerciements

Je tiens à exprimer ma profonde gratitude et reconnaissance à toute personne qui, de près ou de loin, a rendu la publication de ce livre possible : mention spéciale à ma famille, à M. Ibrahima Lô (DLL), ainsi qu'au personnel de Le Lys Bleu Éditions.

Table des matières

Imprimé en France
Achevé d'imprimer en novembre 2022
Dépôt légal : octobre 2022

Pour

Le Lys Bleu Éditions
40, rue du Louvre
75001 Paris